Mission 8 1/2

SOLEIL NOIR

www.cherubcampus.fr
www.casterman.com

Publié en Grande-Bretagne par Hodder Children's Books, sous le titre : *Dark Sun*

ISBN 978-2-203-04121-9

casterman

Achevé d'imprimer en mai 2011, en Espagne par Novoprint.

Soleil Noir

Robert Muchamore

CHERUB/08 1/2

traduit de l'anglais
par Antoine Pinchot

Avant-propos

CHERUB est un département spécial des services de renseignement britanniques composé d'agents âgés de dix à dix-sept ans recrutés dans les orphelinats du pays. Soumis à un entraînement intensif, ils sont chargés de remplir des missions d'espionnage visant à mettre en échec les entreprises criminelles et terroristes qui menacent le Royaume-Uni. Ils vivent au quartier général de CHERUB, une base aussi appelée « campus » dissimulée au cœur de la campagne anglaise.

Ces agents mineurs sont utilisés en dernier recours dans le cadre d'opérations d'infiltration, lorsque les agents adultes se révèlent incapables de tromper la vigilance des criminels. Les membres de CHERUB, en raison de leur âge, demeurent insoupçonnables tant qu'ils n'ont pas été pris en flagrant délit d'espionnage.

Rappel réglementaire

En 1957, CHERUB a adopté le port de T-shirts de couleur pour matérialiser le rang hiérarchique de ses agents et de ses instructeurs.

Le T-shirt **orange** est réservé aux invités. Les résidents de CHERUB ont l'interdiction formelle de leur adresser la parole, à moins d'avoir reçu l'autorisation du directeur.

Le T-shirt **rouge** est porté par les résidents qui n'ont pas encore suivi le programme d'entraînement initial exigé pour obtenir la qualification d'agent opérationnel. Ils sont pour la plupart âgés de six à dix ans.

Le T-shirt **bleu ciel** est réservé aux résidents qui suivent le programme d'entraînement initial.

Le T-shirt **gris** est remis à l'issue du programme d'entraînement initial aux résidents ayant acquis le statut d'agent opérationnel.

Le T-shirt **bleu marine** récompense les agents ayant accompli une performance exceptionnelle au cours d'une mission.

Le T-shirt **noir** est décerné sur décision du directeur aux agents ayant accompli des actes héroïques au cours d'un grand nombre de missions. La moitié des résidents reçoivent cette distinction avant de quitter CHERUB.

La plupart des agents prennent leur retraite à dix-sept ou dix-huit ans. À leur départ, ils reçoivent le T-shirt **blanc**. Ils ont l'obligation – et l'honneur – de le porter à chaque fois qu'ils reviennent au campus pour rendre visite à leurs anciens camarades ou participer à une convention.

La plupart des instructeurs de CHERUB portent le T-shirt blanc.

1. Date limite

Juillet 2007

L'établissement scolaire public de Honeywill aurait pu être comparé à une décharge publique, mais c'était le dernier jour de l'année, et tout le monde affichait un sourire radieux. Des professeurs que rien n'était parvenu à dérider depuis le mois de septembre avaient autorisé les élèves à jouer à la Nintendo DS sur la pelouse ensoleillée. Le directeur lui-même portait des lunettes noires et un short de tennis. Les souffre-douleur encaissaient les sévices de bonne grâce, car ils savaient que dès que la cloche aurait sonné, ils échapperaient à leurs bourreaux pendant six longues semaines.

Les dessins, exposés et posters avaient été retirés des murs de la classe de Greg, située au deuxième étage du bâtiment. Le jeune homme était penché à l'une des fenêtres, cravate autour du front et chemise déboutonnée. Dans la cour, garçons et filles profitaient de la pause de midi. Les uns tapaient dans un ballon. Les autres bavardaient avec animation. Une file d'attente s'était formée devant la fontaine. C'était la journée la plus chaude de l'année.

— Tiens, respire-moi ça, dit Zhang en brandissant une barquette en plastique translucide sous le nez de son camarade.

La puanteur était difficilement soutenable. Greg recula vivement, mit le pied dans une corbeille à papier et faillit s'affaler sur le lino.

— C'est immonde, pas vrai ? sourit son camarade sans cesser d'agiter le récipient.

— Dégage ! hurla Greg, saisi d'un haut-le-cœur. C'est le déjeuner que t'a préparé ta mère ?

Zhang replaça le couvercle.

— Non. J'ai retrouvé cette boîte dans mon casier. Elle vient de la cantine. Ce coleslaw est périmé depuis le 14 novembre, à en croire l'étiquette.

Le troisième garçon qui se trouvait dans la salle, un grand échalas nommé George, éclata de rire.

— Ferme-la, coton-tige, gronda Greg, ou je te plonge la tête dedans.

Il baissa les yeux et considéra avec amusement l'amas d'objets répugnants que Zhang avait exhumés de son casier et jetés pêle-mêle sur le sol : des manuels maculés de boue au contact de ses chaussures de football, des papiers gras, des Kleenex usagés et une bouteille de Tipp-Ex qui avait fui sur ses cahiers, formant une épaisse couche blanchâtre.

— Tu es un porc, ricana-t-il. Je n'aurais jamais imaginé que ce placard pouvait contenir autant d'ordures.

Zhang traîna sa lourde silhouette vers ses camarades.

—Greg, si ton casier est nickel, c'est parce que tu n'es inscrit dans ce bahut que depuis deux mois.

George secoua la tête.

—Non, Zhang. C'est beaucoup plus simple que ça. Ton casier est à vomir, pour la bonne raison que tu es un gros dégueulasse.

Zhang, qui ne supportait pas qu'on évoque son embonpoint, bouscula son interlocuteur.

—Tu veux que je t'en mette une ?

En dépit de l'amitié qui les liait depuis la maternelle, Zhang n'hésitait jamais à s'en prendre physiquement à George pour lui faire ravaler ses railleries.

Greg s'efforça de désamorcer la tension.

—Encore une scène de ménage… soupira-t-il. Allez, roulez-vous une pelle et faites la paix, comme d'habitude.

Zhang fit un pas en arrière, toisa son interlocuteur puis tourna les talons. En vérité, il n'avait guère le choix : Greg n'était pas très grand pour un élève de quatrième, mais il était costaud, et ses biceps saillaient sous les manches relevées de sa chemise.

—Oh, j'allais oublier, lança George en achevant de fourrer le contenu de son casier dans son sac à dos. Je suis obligé d'aller à un barbecue chez ma tante, samedi soir, et Zhang part pour la Chine dimanche. Pour notre nuit X-box, c'est aujourd'hui ou jamais.

—Ah… lâcha Greg, l'air pensif, en promenant ses doigts dans ses cheveux noirs ébouriffés.

—Tu es dispo ? demanda George.

Greg haussa les épaules puis sortit un petit Nokia de la poche de son pantalon.

— Sans doute. Je veux dire… il faut que j'envoie un SMS à mon père, mais je crois que nous n'avons rien de prévu, alors je ne vois pas pourquoi il dirait non.

— Cool ! s'exclama son camarade avant de claquer la porte de son casier et de s'essuyer le front d'un revers de manche.

— Je peux venir avec mon cousin Andy ? ajouta Greg. Je sais que vous ne l'avez jamais rencontré, mais il est super marrant, je vous promets.

— Plus on est de fous… répondit George. Pfou, il fait une de ces chaleurs, aujourd'hui…

— Quand je vivais en Australie, il faisait cette température *en plein hiver.*

— *Quand je vivais en Australie*, répéta Zhang en imitant l'accent de Greg, *il faisait quatre cents degrés à l'ombre. Les koalas tombaient des arbres rôtis comme des poulets.*

— Ne te moque pas de la façon dont je parle, répliqua Greg. Ça fait craquer toutes les filles.

— Elles ont vraiment des goûts bizarres. De toute façon, il n'y en a que pour les Monsieur Muscle sans rien dans la cervelle…

— Tu dis ça parce que tu t'es fait jeter par Amy deux fois, sourit George en marchant vers la fenêtre.

— Oh, tu peux parler, toi, répliqua Zhang. Tu t'es déjà regardé dans une glace ?

George s'accouda à la fenêtre qui dominait la cour. Un éclat de rire familier parvint à ses oreilles.

— Zhang ! lança-t-il avec excitation. Passe-moi ta boîte de coleslaw. Ma sœur est juste en bas.

Greg et Zhang se précipitèrent à ses côtés.

— Génial, sourit ce dernier. Elle est *tellement* canon.

— Beurk, frissonna George. On voit bien que tu ne l'as jamais vue se raser les jambes dans la salle de bains. Elle est poilue comme un singe.

— Regarde les choses en face, objecta Greg. Si Sophie n'était pas ta sœur, tu la trouverais irrésistible, comme nous tous.

— C'est parce que vous ne connaissez pas sa personnalité. C'est une chieuse de première.

— Ce que je ne comprends pas, c'est comment un mec comme toi, avec son allure de crevette, peut avoir une sœur aussi bien foutue.

— La ferme.

Greg et Zhang se turent, non pas parce que George leur avait intimé le silence, mais parce qu'il venait d'ôter le couvercle de la boîte de coleslaw.

— Oh, bon sang, qu'est-ce que ça pue… gémit Greg.

— C'est dingue, il y a des bulles, et la boîte est toute *chaude* !

— Jette-la ! Qu'est-ce que tu attends ?

Mais George hésita.

— Vas-y ! insista Zhang. Souviens-toi : elle a prêté la moitié de tes jeux PSP à son ex, et tu ne les as jamais revus.

George secoua la tête.

— Non, il ne vaut mieux pas. Si ma mère apprend ça, elle risque de me pourrir les vacances.

— Tu es un trouillard ! gronda Zhang. Je *savais* que tu allais te dégonfler.

Au moment où son camarade s'apprêtait à refermer le couvercle, Zhang lui boxa violemment le coude, si bien que la boîte fut propulsée dans les airs. George jongla quelques secondes avec elle, sans parvenir à la récupérer. Le récipient tomba à la verticale dans la cour.

Greg se pencha à la fenêtre.

— Regarde un peu où tu vises ! grogna Sophie.

Elle s'était écartée de quelques mètres afin d'éviter un ballon de football tiré depuis le terrain voisin. Un garçon robuste, au crâne rasé et au torse nu ruisselant de sueur, arriva en courant et se baissa pour le ramasser.

Pétrifiés, George, Greg et Zhang regardèrent la boîte tourbillonner dans les airs, filant droit dans sa direction.

— Zhang, espèce de crétin ! s'étrangla George.

Le récipient atteignit le lycéen à la nuque. Une masse brune en jaillit, éclaboussant son dos du cou au coccyx.

Deux étages plus haut, les trois garçons s'écartèrent de la fenêtre, mais dans sa hâte, George oublia de se baisser et se cogna violemment le sommet du crâne.

— Espèce d'abruti ! lança-t-il à l'adresse de Zhang. C'est Thomas Moran. S'il nous a vus, on est morts.

— Jamais entendu parler de ce type, dit Greg.

George frotta sa tête endolorie.

— C'est juste l'un des mecs les plus violents du lycée. Il fait partie de l'équipe de rugby. Il a *plein* de potes.

— Je crois qu'il n'a pas eu le temps de nous voir. Et il est impossible de savoir de quel étage la boîte est tombée.

Zhang s'approcha prudemment de la fenêtre et risqua un œil à l'extérieur.

— Sophie et ses copines ont toutes le bras tendu dans notre direction. Moran et l'un de ses copains viennent d'entrer dans le bâtiment.

Saisi de panique, George secoua ses bras grêles en tous sens.

— Pourquoi tu as fait ça, Zhang ? Ces types-là ne font pas de prisonniers. S'ils nous mettent la main dessus, ils vont nous exploser !

Greg épaula son sac à dos et se dirigea vers la porte.

— Économisez votre salive et courez, dit-il avec le plus grand calme.

— C'est trop horrible, frissonna George.

Zhang se précipita hors de la salle. Greg saisit George par le col et le tira vers le couloir.

— Calme-toi, et tout ira bien. Mais il faut qu'on se magne.

Zhang, qui avait parcouru une trentaine de mètres, atteignit la cage d'escalier. Il espérait pouvoir se cacher dans une salle de classe inoccupée du premier étage, mais il était déjà trop tard. Les deux élèves de seconde gravissaient les marches quatre à quatre.

— Là, c'est lui, le gros lard ! hurla Thomas Moran.

Dans un crissement de semelles, Zhang fit volte-face. Greg et George détalaient dans la direction opposée.

— Eh, les mecs ! cria-t-il en se mettant à courir aussi vite que le lui permettaient ses énormes jambes. Attendez-moi !

2. Déjeuner sur l'herbe

La campagne anglaise fourmillait d'installations gouvernementales secrètes : laboratoires de recherche nucléaire, dépôts d'armes et centraux de communication. Parmi celles-ci, le campus de CHERUB faisait l'objet d'une surveillance particulière. La forêt environnante appartenait à l'État. À son emplacement, les cartes indiquaient un site militaire réservé aux exercices d'artillerie.

Ceux qui ignoraient les nombreux panneaux d'avertissement, disposés de part et d'autre de la petite route menant à l'entrée du complexe, étaient accueillis par des militaires armés de fusils d'assaut Heckler & Koch. L'espace aérien était inclus dans celui de la base de la Royal Air Force située à cinq kilomètres à l'est, ce qui interdisait tout survol.

Vu d'en haut, le campus, avec ses bâtiments bien entretenus, ses terrains de sport et ses courts de tennis, ressemblait à un pensionnat pour enfants de milliardaires. Seuls l'en différenciaient une construction en forme de banane hérissée d'antennes satellites, un héliport, un parcours d'entraînement commando et un champ de tir à ciel ouvert.

Il faisait un temps superbe. La plupart des agents de CHERUB avaient déjeuné au bord du lac. Nombre d'entre eux barbotaient près de la rive, mais il était formellement interdit de s'en écarter afin de ne pas déranger la famille de canards qui avait élu domicile sur l'îlot boueux situé au centre de la pièce d'eau.

Lauren Adams, douze ans, était étendue parmi les pâquerettes, les pieds nus dans l'herbe fraîche, une main sur les yeux pour se protéger de l'éclat du soleil. Elle venait de dévorer une barquette de ses sushis préférés, mais elle broyait du noir. Elle avait de gros ennuis, et, pour une fois, elle n'y était pour rien.

Andy Lagan, un garçon à la peau laiteuse, était assis à ses côtés. Il posa son manga et lui secoua gentiment le bras.

— Remets tes bottes, dit-il. Zara est là.

— Oh, la poisse, grogna Lauren avant de s'asseoir.

Tous les agents revêtaient l'uniforme durant les heures de cours : un T-shirt orné du logo CHERUB dont la couleur dépendait de leur rang hiérarchique, un pantalon de treillis kaki équipé de fermetures Éclair, permettant de le transformer en bermuda si la météo l'autorisait, et des bottes militaires noires.

Andy enfila son T-shirt à la hâte.

— Tu ferais mieux de te magner, dit-il. Zara doit être de très mauvaise humeur.

Cette dernière était plantée au centre de la piste goudronnée, à cinquante mètres du lac. Une main posée sur la hanche, elle s'appuyait contre l'une des petites voitures électriques que les membres de l'encadrement empruntaient pour se déplacer dans le campus.

Zara Asker, trente-sept ans, portait une robe à fleurs. Depuis la naissance de son deuxième enfant, un an auparavant, elle n'était pas parvenue à retrouver la ligne. En dépit des apparences, elle occupait l'un des postes les plus importants des services de renseignement britanniques. En tant que directrice de CHERUB, elle remplissait à la fois les fonctions de professeur principal et d'espionne en chef. Elle était appréciée de la plupart des résidents du campus, sauf lorsque la situation exigeait qu'elle distribue des punitions.

Sans prendre le temps de faire ses lacets, Lauren rejoignit Andy et six de ses camarades près de la voiturette : outre un garçon et une fille de treize ans, le groupe était constitué de T-shirts gris âgés de dix à onze ans, tous bons amis, qui commettaient les pires bêtises sous l'influence de Jake Parker, leur leader, un perturbateur aux cheveux hérissés.

— Mettez-vous en rang, gronda Zara Asker.

Elle considéra d'un œil sévère le pantalon trempé et taché de ketchup de Jake.

— Tu oses te présenter devant moi dans cette tenue ?

Lauren, qui n'appréciait pas beaucoup Jake, buvait du petit-lait. Ce dernier tira fébrilement sur son T-shirt.

— Je vous prie de m'excuser, madame, gémit-il. Mon hot-dog m'a échappé des mains.

Zara examina la tache.

— Tu me feras le plaisir de passer ton pantalon au détachant avant de le déposer à la blanchisserie.

— Oui, madame.

Zara répugnait secrètement à sanctionner ses protégés. Ce n'était tout simplement pas son truc. Aux yeux de Lauren, la remontrance que venait d'essuyer Jake était insignifiante.

— Avant que je ne commence, avez-vous quelque chose à déclarer pour votre défense ? demanda la directrice.

Les huit agents baissèrent la tête en signe de soumission. Aucun d'entre eux ne se sentait le courage d'affronter le regard de Zara. Lauren brûlait de lui expliquer que Jake et ses trois complices étaient seuls responsables, mais elle savait que cette accusation ne ferait qu'aggraver la situation : son rival se contenterait de renvoyer l'attaque, et la discussion tournerait à l'échange d'insultes, ce qui ne serait pas au goût de la directrice.

Cette dernière remonta la bretelle de sa robe d'été et lâcha un profond soupir.

— Vous êtes tous des agents qualifiés. Lauren porte le T-shirt noir, et les plus jeunes d'entre vous attendent toujours de se voir proposer leur première mission. Vous avez été sélectionnés parce que, en théorie, vous faites partie des deux à trois pour cent de la population assez brillants pour être admis à CHERUB. Nous vous avons enseigné tout ce que vous deviez savoir : techniques de renseignement, arts martiaux, maniement d'armes, langues étrangères... En d'autres termes, vous êtes censés être des petits génies, des perles rares, l'élite de votre génération. C'est pourquoi je suis à ce point consternée par ce qui s'est passé ce matin.

Zara se pencha à l'intérieur de la voiture électrique et s'empara d'un avion en papier froissé posé sur le siège passager. Ses flancs portaient l'inscription *Je m'emmerde Airlines*. Un sexe masculin était grossièrement représenté sur l'une des ailes.

— Ceci n'est qu'un des onze avions que j'ai trouvés dans votre salle de classe. Je ne parle même pas des centaines de boulettes, des traces de bottes sur les tables ou de l'état des stores auxquels un idiot a eu la bonne idée de se suspendre.

Lauren réprima un sourire. Elle revoyait Jake, le matin même, tentant vainement de récupérer un avion coincé entre deux lattes haut perchées. Il avait perdu l'équilibre, tenté de se retenir au store et l'avait entraîné dans sa chute.

— Votre faute est aggravée par le fait que vous vous êtes comportés ainsi devant un conférencier venu de l'extérieur. Je sais bien qu'il n'est pas facile de se concentrer par ce temps superbe, et que ce cours de quatre-vingt-dix minutes sur la préservation des preuves ADN n'avait rien de très excitant. Mais Mr Donaldson a fait le voyage depuis le siège du MI5 pour vous faire partager ses connaissances, et je pensais que vous étiez assez mûrs pour garder le contrôle de vos nerfs sans qu'il soit nécessaire de charger un membre du personnel de vous surveiller.

Andy leva la main.

— Madame, nous ne sommes pas *tous* dans le coup.

Zara fronça les sourcils.

— J'ai observé les empreintes de bottes sur les tables, et Mr Donaldson a précisé que les quatre garçons les plus jeunes de la classe devaient être tenus pour principaux responsables, mais personne n'a rien fait pour les empêcher de nuire. Même si vous estimiez que vous n'étiez pas en mesure de rétablir l'ordre, vous auriez dû donner l'alerte. Vous êtes des agents opérationnels. Pensez-vous être capables de démanteler un réseau terroriste ou un gang de narcotrafiquants alors que vous ne parvenez même pas à maîtriser une bande de gamins chahuteurs ?

Lauren était profondément contrariée. Zara était un ancien agent de CHERUB, mais elle semblait avoir effacé de sa mémoire la règle tacite qui interdisait aux résidents du campus de se dénoncer les uns les autres.

— Vous recevrez tous la même punition : vous paierez chacun sept livres cinquante pour remplacer le store cassé, puis vous passerez le reste de la journée sur le parcours commando en compagnie de Miss Speaks.

Les huit agents manifestèrent leur mécontentement par un concert de grognements, mais seul Jake se risqua à protester.

— C'est nul ! cria-t-il. Des tours de piste d'athlétisme, je veux bien, mais de parcours commando, ça ne s'est jamais vu !

Zara marcha jusqu'au garçon et le regarda droit dans les yeux.

— Tu t'es comporté comme un sauvage devant une personne étrangère à l'organisation, et tu m'as couverte de honte. Les cours des conférenciers extérieurs sont d'une importance capitale. Si je vous laisse agir de cette façon, ils rejetteront toutes nos invitations.

— Si vous le dites…

— Je n'aime pas beaucoup ce ton, Jake Parker, grinça Zara. Et puisque tu tiens tant à faire des tours de piste, ce sera vingt par jour toute la semaine prochaine. Tant que j'y suis, tu seras privé d'argent de poche pendant un mois et tu resteras consigné dans ta chambre pendant deux week-ends.

Profondément ébranlé par cette annonce, Jake se mit à trembler imperceptiblement. Lauren se réjouissait de le voir ainsi accablé. Sa bêtise et son inconséquence lui avaient coûté sept livres cinquante et un après-midi de torture sur le parcours commando.

— Miss Speaks vous attend, conclut Zara en désignant la zone boisée qui s'étendait au-delà du lac. Je vous conseille de vous mettre à courir. Elle n'est pas très patiente.

3. Cul-de-sac

— Magne-toi ! lança Greg en tirant George par le col de sa chemise.

— Je ne peux pas aller plus vite, haleta ce dernier. J'ai un point de côté.

Ils avaient fait halte à l'extrémité du long couloir, sur le palier de l'escalier de service que les élèves n'étaient autorisés à emprunter que lors des exercices anti-incendie. Zhang se traînait péniblement derrière eux, les deux élèves de seconde à ses trousses.

— En passant par la salle d'étude des Terminales, on peut accéder à la cantine, expliqua Greg. On sera en sécurité, là-bas. Ça grouille de surveillants.

George jeta un coup d'œil par-dessus son épaule puis, le souffle court, se remit à courir.

— Tu n'es vraiment pas en forme, fit observer Greg. Il serait temps de te mettre au sport.

Au moment où ils atteignirent le rez-de-chaussée, Zhang avait refait son retard, mais Thomas Moran et son copain Johno ne se trouvaient plus qu'à une volée de marches.

Greg se heurta à la porte vitrée de la salle d'étude.

— Bon sang, c'est fermé à clé !

Derrière la paroi transparente, chaises et meubles étaient rassemblés au centre de la pièce. Des bâches recouvraient le sol. Un écriteau placé en évidence annonçait :

L'annexe des Terminales s'offre un coup de jeune !
Réouverture en septembre 2007
Bon été à tous !

— Et merde, gronda Greg.

— On est foutus, s'étrangla George.

Zhang fut le premier à s'engager dans le couloir le plus proche. Dix mètres plus loin, les trois fuyards s'immobilisèrent devant l'entrée du gymnase, dont les portes restaient closes durant la pause déjeuner. Greg tenta vainement de les enfoncer à coups d'épaule, puis les trois complices se ruèrent dans le passage aux parois peintes en bleu menant au vestiaire des garçons.

Une puissante odeur de sueur les prit à la gorge. Un nuage de vapeur flottait dans les airs. Des chaussettes abandonnées et des Kleenex usagés jonchaient le sol humide. À gauche des bancs de bois surmontés par une rangée de patères se trouvaient les douches collectives. À droite, des cabines de WC jouxtaient une dizaine d'urinoirs.

Greg et George jetèrent un regard circulaire à la pièce, espérant y découvrir une porte coupe-feu ou une sortie de secours.

— Vous êtes dans un cul-de-sac, les mecs ! lança Thomas Moran, planté dans l'encadrement de la porte, en frappant ses poings énormes l'un contre l'autre.

Pris de panique, Zhang s'enferma dans une cabine.

Greg et George reculèrent vers les douches.

— Fais pas de connerie, gémit ce dernier en levant les mains. C'est ma sœur que je visais. Tiens, si tu nous laisses partir, je te filerai un billet de vingt livres, le jour de la rentrée. Sur la tête de ma mère.

D'un coup de pied, Johno fit sauter le verrou de la cabine. Brutalement soulevée de ses gonds, la porte frappa Zhang au visage, lui arrachant un hurlement de douleur.

— Sale petit merdeux ! s'exclama son agresseur en le bourrant de coups de poing.

— Pitié, pitié ! pleurnicha Zhang.

Greg poussa George à l'intérieur des douches et fit face à Thomas Moran. En dépit de sa carrure imposante, il venait à peine de fêter ses treize ans. Son adversaire le dominait de la tête et des épaules. Avec ses cheveux ras et son torse musculeux, celui-ci ressemblait à un tueur à gages de la mafia russe.

— Toi, au moins, tu as du cran, ricana Moran. Pourquoi tu traînes toujours avec ce gros lard et ce squelette ambulant ?

— Je ne veux pas d'ennuis, dit Greg. Mais je t'avertis, mon père est instructeur de kick-boxing, et il m'a appris à me défendre.

Thomas éclata de rire, le douchant littéralement de postillons.

— Eh bien, vas-y, ne te gêne pas. Montre-moi ce que tu sais faire.

Des cris désespérés résonnèrent dans la cabine de WC.

Thomas se tourna pour profiter du spectacle. Johno, un genou planté entre les omoplates de Zhang, le tenait fermement par les cheveux. Il adressa à son camarade un sourire malveillant, plongea la tête de son souffre-douleur dans les toilettes, puis tira la chasse d'eau.

— Bien joué, Johno, dit Thomas. Ce minable avait vraiment besoin d'un shampooing.

Greg fit un pas de côté et leva une main ouverte à hauteur de son visage. Au moment où Thomas pivota pour lui faire face, il lui porta un violent coup de paume à la tempe.

Le cou de Thomas Moran se plia sous le choc. Il tomba en arrière, raide comme une bûche, et heurta le mur carrelé. Les yeux révulsés, il s'effondra dans une position étrange, les jambes largement écartées, la moitié supérieure du corps reposant sur un banc.

— Nom de Dieu ! s'exclama George. Mais qu'est-ce que tu as fait ?

Greg enjamba le corps de Thomas et se dirigea d'un pas assuré vers les toilettes. C'était un endroit sordide, pestilentiel, inondé de flaques de boue et d'urine.

Johno lâcha sa proie, jaillit de la cabine et se précipita dans sa direction en battant des bras en tous sens. Greg esquiva aisément ses attaques désordonnées, tourna autour de son adversaire et le frappa sèchement à l'arête du nez.

Constatant que ce dernier était désorienté, il lui

plaça un direct au plexus, planta un genou dans ses reins puis le mit hors d'état de nuire d'un ultime coup tranchant sur la nuque.

Johno s'écroula sur le sol, le nez en sang. Zhang s'extirpa de la cabine, cheveux et chemise dégoulinants d'eau fétide, et porta à son bourreau un coup de pied vengeur à l'abdomen.

— Il a son compte, sourit Greg. Et toi, rien de cassé ?

— Ces toilettes sont dégueulasses, répondit Zhang d'une voix tremblante.

— Rentre chez toi et va prendre une douche. Tu ne rateras que la moitié de la dernière heure de cours, et on te trouvera une excuse crédible.

Étalé près des urinoirs, Johno, secoué d'une irrépressible quinte de toux, tentait vainement de se remettre sur pied.

— Toi, tu restes couché jusqu'à ce qu'on soit partis.

Zhang se traîna vers la sortie.

— Je crois qu'il est encore en vie, dit George, accroupi au chevet de Thomas Moran.

— Ne te fais pas de souci pour lui. Un coup de paume à la tempe n'a jamais tué personne. Au pire, il se réveillera avec une grosse migraine.

— On ferait mieux de se tirer en vitesse. Si quelqu'un nous trouve ici…

— Laisse-moi quelques secondes, répondit Greg en s'emparant d'un morceau de savon grisâtre posé sur le rebord d'un lavabo. Je ne peux pas retourner en classe avec du sang plein les mains. N'est-ce pas, Johno ?

En dépit de sa stature de joueur de rugby, ce dernier, adossé à un mur, se tordait les mains comme un petit garçon qui vient de prendre une fessée. Il était au bord des larmes.

Greg s'essuya les mains sur son pantalon puis s'engagea dans le couloir.

— Et s'ils te dénoncent ? demanda George.

— Ils font deux têtes de plus que moi. Qui croira que j'ai pu leur faire la tête au carré ?

— Je n'y croirais pas moi-même, si je ne l'avais pas vu de mes propres yeux. Tu nous as sauvé la vie, mon pote. Je pensais que tu allais en prendre plein la poire. Tu m'avais dit que tu te débrouillais en kick-boxing, mais je n'aurais jamais imaginé un truc pareil. J'en ai connu des types qui se vantaient d'être ceinture noire, mais ils ne faisaient pas le poids lorsque ça commençait à chauffer…

— Mon père est instructeur, répéta Greg. Je m'entraîne tous les jours, après les cours.

— C'est génial. Dès que cette histoire aura fait le tour du lycée, personne n'osera plus s'en prendre à nous.

Greg sourit avec modestie.

Son père était mort en Australie, quinze mois plus tôt, sans avoir jamais pratiqué les arts martiaux.

Son véritable nom était Gregory Rathbone, mais tous ses camarades de CHERUB le surnommaient Rat.

4. Un misérable ver de terre

Le parcours commando du campus de CHERUB était un circuit de deux kilomètres constitué d'obstacles divers et variés, de tunnels infestés de rats, d'échelles de corde, de murs d'escalade et de fossés boueux. En théorie, n'importe quel enfant de douze ans aurait été capable de le boucler en un peu moins d'une heure, pourvu qu'il ne soit pas victime d'une mauvaise chute ou paralysé par le vertige.

Les huit agents avaient accompli le parcours des centaines de fois au cours du programme d'entraînement initial. Andy Lagan et Lauren Adams présentaient tous deux un record personnel inférieur à vingt minutes. Ce n'était pas une partie de plaisir, mais ils étaient rompus à cet exercice et l'accomplissaient mécaniquement, sans la moindre appréhension. Aussi Miss Speaks, soucieuse de leur infliger une punition digne de ce nom, avait-elle pris des dispositions particulières.

C'était une femme peu amène, aux épaules larges et à la voix grave. Ses bras étaient énormes. Personne, pas même ses collègues instructeurs, n'était jamais parvenu à la battre au bras de fer.

Elle avait distribué des sacs à dos lestés de plaques de plomb pesant de dix à quinze kilos, en fonction de l'âge et de la taille des agents. Entre chaque obstacle, elle avait prévu quelques épreuves propres à éprouver leur endurance. En outre, elle avait ordonné à ses assistants disséminés sur le parcours de rendre le franchissement des obstacles aussi difficile que possible.

Les cinquante premiers mètres du parcours consistaient en une pente qui s'accentuait progressivement et s'achevait par une portion verticale que les agents devaient gravir à l'aide d'une corde à nœuds. Au mieux, ceux qui lâchaient prise roulaient dans la poussière jusqu'à la ligne de départ, mais les plus malchanceux couraient le risque de se blesser contre les rochers environnants.

Le sommet de la colline constituait le point le plus élevé du parcours. C'est de cette position que Miss Speaks observait le comportement des agents. Dix mètres plus loin, trois longues poutres de dix centimètres de largeur permettaient de franchir un ravin de quatre mètres, au fond duquel se trouvait un étang saturé de vase ceint d'une épaisse forêt d'orties.

L'agent James Adams, quinze ans, avait passé la nuit à jouer à la PlayStation au lieu de rédiger son devoir sur Napoléon Ier. Il avait saisi la chance que lui offrait l'instructrice de se soustraire à cette exigence, et accepté de lui servir d'assistant pendant la durée de l'épreuve.

Il était assis sur la plate-forme haut perchée aménagée entre deux chênes, aux abords de la pièce d'eau. Son camarade Bruce Norris se trouvait à ses côtés. Dans leur dos, deux sacs de frappe rouges se balançaient à une solide branche.

En tendant l'oreille, ils pouvaient entendre les jurons et les gémissements des deux jeunes agents qui gravissaient la pente.

— Du nerf, bande de larves ! hurla Miss Speaks en leur jetant des mottes de terre au visage. Attrapez cette corde et soulevez vos grosses fesses... Mais vous n'avez rien dans les bras, ma parole ? Si vous ne vous remuez pas, je vous colle deux mois de programme de remise en forme.

James vit apparaître la tête de sa sœur Lauren au sommet de la colline. Andy, son binôme, se trouvait juste derrière elle. Ils entamaient leur troisième tour sous un soleil de plomb, et l'énergie commençait à leur manquer.

Le visage de la jeune fille était rouge vif, ses cheveux rassemblés en chignon trempés de sueur. De larges taches sombres s'étaient formées sur le T-shirt d'Andy. Leur pantalon et leurs bras nus étaient incrustés de boue, témoignage des minutes passées à ramper dans un tunnel de béton et à patauger dans un fossé d'évacuation.

— Vingt-cinq pompes, ordonna Speaks. Ne restez pas plantés la gueule ouverte. Allez, allez, allez !

Andy et Lauren plongèrent à plat ventre. En dépit des douze kilos de plomb que contenait son sac, cette dernière accomplit l'exercice sans flancher. Hélas, handicapé par des bras longs et minces, son camarade s'interrompit après quinze mouvements.

— Qu'est-ce que tu fous ? glapit Miss Speaks. Tu prétends être un homme ? Ta copine est cent fois plus solide que toi.

Les épaules tétanisées, Andy essaya de se soulever du sol une seizième fois. Ses bras se mirent à trembler, puis il s'écroula sur le sol rôti par le soleil.

— Tu n'as rien dans le bide ! hurla Speaks en posant sa botte militaire pointure quarante sur la tête du garçon. Répète après moi : je ne suis qu'un misérable ver de terre.

— Hon... movoroble... vor de torre, gémit-il, la bouche pleine de sable et de poussière.

— Alors gigote comme un lombric.

Profondément humilié, Andy plaça les bras le long du corps puis agita mollement les hanches. Lauren se tourna vers l'instructrice et la fusilla du regard.

— Oh, mais c'est que ça me ferait les gros yeux ! gronda Speaks. Tu ferais mieux de continuer sans lui. C'est un boulet.

— Andy est mon partenaire, clama Lauren.

— C'est bien, tu fais preuve de loyauté. Pour la peine, tu vas me faire les dix pompes que ce minus n'a pas été foutu de terminer.

Lauren était ulcérée, mais elle souhaitait en finir au plus vite et ne plus revoir l'instructrice jusqu'au quatrième passage. Elle s'allongea à nouveau et se remit à l'ouvrage. Son sac chargé de plomb pesait lourdement sur son dos et ses bras. La chaleur était étouffante. Une goutte de sueur coula de son front jusqu'au bout de son nez puis tomba dans la poussière.

Une discipline stricte, des sanctions impitoyables et un entraînement physique intensif : c'était le prix à payer pour faire partie de CHERUB. Ces contraintes rigoureuses permettaient aux membres de l'organisation d'assurer leur propre sécurité lors des missions d'infiltration et d'accomplir des exploits hors de portée des enfants ordinaires.

Ils étaient libres de quitter les services secrets et de reprendre une existence normale au sein d'une famille d'accueil. Lauren n'avait jamais envisagé cette possibilité. Rien n'aurait pu la faire fléchir. Les souffrances endurées lors des épreuves d'entraînement disparaissaient après une bonne douche, et elle avait pleinement conscience d'être une personne exceptionnelle.

À son arrivée au campus, elle n'était qu'une petite fille comme les autres, peut-être un peu plus vive que la moyenne. En trois ans, elle était devenue l'un des agents les mieux notés de CHERUB. Elle parlait parfaitement le russe et l'espagnol, pouvait courir dix kilomètres sans s'essouffler, savait conduire toutes sortes de véhicules, y compris sur route glacée, maîtrisait le maniement de toutes les armes modernes et connaissait mille et une façons de maîtriser un adversaire à mains nues.

Alors qu'elle poussait sur ses bras pour la dixième fois, Speaks posa une main sur son sac et appuya fermement. Plus Lauren raidissait ses muscles, plus l'instructrice accentuait la pression.

— Chahuter devant un invité du campus... soupira

cette dernière. Est-ce que tu regrettes ta conduite, petite ingrate ?

Lauren pensa à Jake Parker, le fauteur de troubles à qui elle devait ce martyre. Refusant de s'abandonner à la colère, elle serra les dents et ferma les yeux. Elle avait l'impression que ses abdominaux allaient exploser, mais il n'était pas question d'échouer, sous peine de s'exposer à une nouvelle facétie de Miss Speaks.

Cette dernière pesa de tout son poids, et Lauren se retrouva face contre terre. Lors du programme d'entraînement initial, les recrues apprenaient à endurer la douleur sans protester. Ils se répétaient jusqu'à l'écœurement les douze mots qui formaient la devise des recrues : *C'est dur, mais les agents de CHERUB sont encore plus durs*.

Une minute s'écoula avant que Miss Speaks ne relâche la pression et ne laisse Lauren achever son ultime pompe.

— Tu es déterminée, dit-elle tandis que son élève se redressait en titubant. Et tu en as dans le ventre.

Speaks, comme tous les instructeurs, était avare de compliments. Lauren se raidit, leva le menton et répondit à l'éloge par un grognement inintelligible. La chaleur lui faisait tourner la tête.

— Allez, bougez-vous ! hurla Speaks. Traversez ces poutres avant que mon pied n'entre en contact avec vos postérieurs.

Les agents se traînèrent jusqu'à l'obstacle suivant.

— Tu vas bien ? demanda Andy sur un ton coupable. Je suis désolé. Les pompes, ça n'a jamais été mon truc.

Lauren haussa les épaules.

— Ce n'est pas ta faute si la nature ne t'a pas gâté côté biceps.

Perchés sur leur plate-forme, James et Bruce ne les quittaient pas du regard. Lorsque Andy et Lauren s'engagèrent sur l'une des poutres, ils saisirent les poignées cousues aux sacs de frappe, puis ils ôtèrent la cale qui les maintenait en place.

— Je vise Lauren, dit James.

Cette dernière se serait volontiers accordé une pause pour reprendre son souffle, mais elle savait que Speaks sanctionnerait impitoyablement le moindre signe de nonchalance.

Lorsque Andy eut aligné trois pas sur l'étroit morceau de bois, Bruce poussa le sac de toutes ses forces dans sa direction. La plate-forme étant dissimulée par les feuillages, le garçon ne fut alerté du danger que par le grincement de la corde qui retenait la lourde masse de cuir à la plus haute branche d'un chêne. Il s'inclina vers l'arrière et parvint à l'éviter d'extrême justesse.

— Raté, gronda Bruce en se penchant pour rattraper le projectile, qui filait vers lui dans un ample mouvement de balancier.

En dépit des fréquents différends qui l'opposaient à sa sœur, James n'avait aucune intention de la précipiter dans l'étang. Il visa intentionnellement un point situé deux mètres derrière elle et lâcha son sac.

— James Adams, tonna Miss Speaks. Si je te reprends à lui faire une fleur, c'est toi qui sueras sang et eau sur ce parcours, dès demain matin.

La seconde attaque faucha Andy avant qu'il n'ait pu retrouver son assise.

— En plein dans le mille ! triompha Bruce.

Lauren plongea en avant et se réceptionna sur le matelas boueux placé à l'extrémité de l'obstacle. Andy, lui, plongea droit dans l'étang. Il y pataugea quelques secondes, puis rampa jusqu'à la berge. Au moment où il tentait de se mettre debout, il ressentit une douleur aiguë à la poitrine. Il lâcha un cri perçant.

Le fond de la pièce d'eau, d'une profondeur de plus de deux mètres, était tapissé de matelas en mousse censés prévenir toute blessure, mais les traits tordus d'Andy témoignaient de leur inefficacité. James et Bruce descendirent de la plate-forme grâce à une échelle de corde, puis traversèrent l'épais rideau d'orties afin de lui porter secours.

— Qu'est-ce que tu as à pleurnicher, Lagan ? demanda James.

— Je crois que je me suis cassé une côte. Ça fait un mal de chien…

Au même instant, Jake Parker et son ami Ewan bouclèrent leur troisième tour et atteignirent le sommet de la colline. Miss Speaks, le visage tourné vers l'étang, les laissa passer sans leur infliger l'épreuve à laquelle leurs prédécesseurs avaient dû se soumettre. Ils franchirent les poutres sans rencontrer de résistance.

En passant devant Lauren, Jake lui adressa un clin d'œil.

— C'est notre jour de chance, on dirait, se réjouit-il. Qu'est-ce qui est arrivé à ton petit copain ?

Lauren, ulcérée par ce comportement arrogant, vérifia que Miss Speaks ne regardait pas dans sa direction, saisit son oreille puis la tordit de toutes ses forces.

— Premièrement, ce n'est pas mon petit copain, cracha-t-elle. Deuxièmement, si tu t'étais comporté comme un individu civilisé ce matin, je serais en ce moment même en train de suivre un cours de dessin dans une salle climatisée. Alors efface ce sourire de ta sale petite face de rat, parce que je suis à deux doigts de te refaire le portrait.

Sur ces mots, elle lâcha prise. Jake détala puis, lorsqu'il se trouva à distance respectable, lança :

— Oh, tu me fais *tellement* peur.

Miss Speaks s'adressa à ses deux assistants.

— Il est vraiment amoché ? demanda-t-elle sur un ton suspicieux.

— On dirait bien, répondit Bruce.

Un troisième binôme se présenta devant les poutres. Speaks secoua la tête et poussa un soupir digne d'une tragédienne.

— OK, James, accompagne ce minable à l'infirmerie. Mais je vérifierai auprès du docteur Kessler, Andy. Si tu simules, tu auras droit à une longue séance d'entraînement individuel. En comparaison, ce que tu viens de subir n'était pas plus désagréable qu'une garden-party à Buckingham Palace.

5. En cascade

Le bloc médical de CHERUB disposait de six chambres individuelles, mais Andy était étendu sur l'un des cinq lits de la salle d'urgences, en compagnie d'une résidente âgée de huit ans qui s'était brûlé la main en s'emparant hâtivement d'un moule à gâteau à la sortie du four.

Deux hommes en blouse blanche, au crâne dégarni et aux lunettes à monture argentée, firent irruption dans la pièce. Andy attendait le premier, le docteur Kessler, depuis près d'une heure. En revanche, il s'étonna de recevoir la visite du second, John Jones, contrôleur de mission.

Kessler travaillait pour CHERUB depuis plus de vingt ans, mais il ne s'était jamais débarrassé de son fort accent allemand.

— J'ai d'excellentes nouvelles, dit-il en soulevant la couverture d'Andy afin d'examiner son torse. Les radios montrent que tu ne souffres d'aucune fracture. Ceci étant dit, tu ne t'es pas raté, mon garçon. Essaye de soulever l'épaule gauche de l'oreiller, s'il te plaît.

Au prix d'un effort surhumain, Andy parvint à peine à la décoller de quelques centimètres.

Le docteur Kessler se tourna vers John Jones.

– Il s'est froissé un muscle, annonça-t-il. C'est sans doute la blessure que j'observe le plus souvent chez les agents à l'entraînement. Compte tenu de l'intensité de leurs activités, ils sont fréquemment sujets à de tels traumatismes.

– Mais je serai d'aplomb pour la mission de samedi, n'est-ce pas ? demanda Andy.

– J'ai reçu un SMS de Greg Rathbone il y a une heure et demie, expliqua John Jones. George Lydon doit rendre visite à sa tante samedi. La nuit PlayStation a été avancée à ce soir.

– La poisse, maugréa Andy.

– Pourquoi n'as-tu pas informé Zara que tu étais sur le point de partir en mission ? demanda John.

– Je ne voulais pas que les autres pensent que je me défilais. Ne me dites pas que je suis le seul sur le campus à savoir me servir d'AutoCAD…

John secoua la tête.

– Tu as reçu plus de vingt heures de formation. Personne ne t'arrive à la cheville.

– Faites-moi un bandage, et je me débrouillerai, annonça Andy. Je leur dirai que je me suis blessé en jouant au foot.

– Si tu le souhaites, je demanderai à Mrs Halstead de poser un strapping, dit Kessler, mais je te préviens, tu risques de souffrir le martyre. Nous pouvons pratiquer une injection analgésique intramusculaire, mais là aussi, il faudra serrer les dents, et la zone traitée restera engourdie, ce qui limitera tes mouvements.

— C'est à toi de choisir, Andy, conclut John Jones. Je ne veux pas te forcer la main. Si tu décides de te retirer de la mission, il ne te sera fait aucun reproche.

Le garçon secoua la tête avec détermination.

— Ça fait plus d'un mois que Rat essaie de pénétrer dans la maison de Kurt Lydon. On continue comme prévu.

Le docteur Kessler sortit un trousseau de clés de la poche de sa blouse et ouvrit le compartiment supérieur d'un chariot à tiroirs monté sur roulettes. John consulta une liasse de notes manuscrites.

— Le trajet jusqu'à Milton Keynes durera environ quatre-vingt-dix minutes, expliqua-t-il. Nous devrons nous mettre en route avant la sortie des classes. Je veux que tu étudies le briefing détaillé et les documents joints à l'ordre de mission. Si tu as des questions, c'est le moment ou jamais.

Andy jeta un œil aux papiers et haussa les épaules.

— J'ai déjà lu tout ça une vingtaine de fois.

— Je sais, mais je redoute toujours que mes agents n'oublient un élément important au dernier moment. Fais-moi plaisir. Consulte-le une dernière fois, d'accord ?

Le docteur Kessler ouvrit l'emballage stérile d'un kit d'injection.

— Ça fera effet pendant douze à seize heures, dit-il. Souviens-toi que ça n'effacera pas pour autant le traumatisme musculaire, alors évite de solliciter ton bras gauche.

Il nettoya l'épaule d'Andy à l'aide d'une boule de coton imbibée de stérilisant puis ôta le capuchon de la seringue, révélant une longue aiguille.

— Nom d'un chien ! s'étrangla Andy. Ça va faire aussi mal que ça en a l'air ?

— Non, ce sera dix fois pire, ricana le docteur Kessler. Respire à fond et ne bouge pas. Je n'en ai que pour quelques secondes.

Andy déposa les documents sur la table de nuit puis planta les ongles dans le matelas.

.:.

**** CONFIDENTIEL ****

ORDRE DE MISSION
DE GREG « RAT » RATHBONE ET ANDY LAGAN

CE DOCUMENT EST ÉQUIPÉ D'UN SYSTÈME ANTIVOL INVISIBLE. TOUTE TENTATIVE DE SORTIE HORS DU CENTRE DE CONTRÔLE ALERTERA IMMÉDIATEMENT L'ÉQUIPE DE SÉCURITÉ.

NE PAS PHOTOCOPIER – NE PAS PRENDRE DE NOTES

Informations préliminaires

Depuis 1945, de nombreux États ont tenté de se doter de l'arme nucléaire. À ce jour, huit nations possèdent un tel arsenal : les États-Unis, la Russie, le Royaume-Uni, la France, la Chine, l'Inde, le Pakistan, la Corée du Nord et Israël. D'autres puissances, comme le Japon et l'Allemagne, en maîtrisent la technologie mais ont choisi de ne pas l'exploiter.

La plupart des pays ayant manifesté leur volonté de posséder la force de dissuasion nucléaire ne sont pas assez riches pour mener à bien leur projet. D'autres, comme les pétro-États du Moyen-Orient, ne sont pas assez avancés en terme de recherche et d'industrialisation pour développer des armes atomiques.

Le réseau Soleil Noir

Au cours des soixante dernières années, plusieurs organisations criminelles ont entrepris d'infiltrer le marché de l'atome.

En 2004, une action concertée des services de renseignement français et britanniques a permis l'arrestation d'une femme soupçonnée d'avoir fait l'acquisition de plusieurs tonnes d'acier maraging. Ce matériau extrêmement résistant est principalement utilisé par l'industrie nucléaire. Sa production et son exportation sont sévèrement contrôlées.

Menacée d'une longue peine d'emprisonnement, la trafiquante a accepté de coopérer. Interrogée par les services français, elle a révélé l'existence d'un réseau nommé Soleil Noir dont les membres achetaient et revendaient des secrets industriels liés à la fabrication de bombes atomiques. Parmi leurs clients figuraient des gouvernements africains, asiatiques et moyen-orientaux.

La Cascade

La principale difficulté posée par la production d'une arme nucléaire consiste à transformer le minerai d'uranium. Avant d'être utilisable à des fins militaires, le matériau doit être chauffé jusqu'à transformation au stade gazeux puis injecté dans une chaîne composée de plusieurs milliers de centrifugeuses à très haute vitesse nommée cascade. *Ce processus extrêmement complexe exige une consommation d'énergie considérable. En outre, tout dysfonctionnement peut entraîner la dispersion dans l'atmosphère de gaz radioactif mortel.*

Kurt Lydon

Le réseau Soleil Noir propose à ses clients d'acquérir les technologies permettant la mise au point de centrifugeuses. Plusieurs modèles européens et chinois datant des années 1960 et 1970 sont facilement reproductibles, mais ni leurs performances, ni leur fiabilité ne sont comparables à celles des installations modernes.

En novembre 2006, Kurt Lydon faisait partie de l'équipe d'ingénieurs franco-anglais chargée de mettre au point une nouvelle cascade. Les plans avaient été achevés et les premiers essais réalisés avec succès, lorsque le gouvernement français a annulé la construction d'une usine d'enrichissement. Le projet sur lequel travaillait Lydon a été interrompu, et il a perdu son emploi.

En dépit des contrôles sévères dont font l'objet les employés de l'industrie nucléaire, Lydon est parvenu à dérober les plans sous forme numérique avant de quitter définitivement le centre de recherche. Son acte est resté inaperçu, mais les agents du MI5 ont identifié l'ingénieur lors d'une rencontre avec un haut responsable de Soleil Noir dans un restaurant de Bruxelles en février 2007.

Au cours des semaines suivantes, grâce aux écoutes téléphoniques et au dispositif de surveillance installé à son domicile, ils ont découvert que leur suspect avait l'intention de céder les plans de la cascade en échange de huit millions d'euros. Mais l'installation exigeait l'emploi de métaux et de moteurs sophistiqués sujets à des règles d'importation extrêmement strictes.

Malgré l'efficacité de ses filières clandestines, Soleil Noir s'est révélé incapable de se procurer les matériaux nécessaires à la construction des cinquante mille centrifugeuses de la cascade.

Déplorant de ne pouvoir céder ses plans, Lydon a proposé à ses interlocuteurs d'en modifier la conception afin d'autoriser l'emploi de composants plus courants.

Le plan

Lydon estimait que les modifications exigeraient entre huit et dix mois de travail. Les autorités du MI5 ont envisagé d'opérer un coup de filet sans plus attendre, mais elles ne sont pas parvenues à réunir des preuves incriminant les plus hauts responsables de Soleil Noir. En conséquence, elles ont décidé de laisser leur cible poursuivre ses travaux jusqu'à la phase de test. Cependant, craignant que sa cascade à moindre coût ne permette à des dizaines d'États de se doter de l'arme nucléaire, elles ont pris contact avec les anciens collègues de l'ingénieur.

Ces derniers ont désigné quatre cents pièces réalisées dans des alliages communs, autant d'éléments que Lydon n'aurait pas besoin de modifier, puis ont entrepris d'y apporter des changements susceptibles d'altérer leurs performances. Dans une centrifugeuse tournant à vingt-cinq mille tours minute, un déséquilibre d'un centième de gramme peut provoquer de graves dommages ; le choix d'une matière plastique inadéquate entraînera inévitablement une explosion et une fuite de gaz ; de la moindre petite imperfection dans l'usinage des machines résultera une surchauffe dévastatrice.

Questionnés au sujet des risques de projection de débris radioactifs par une centrifugeuse défectueuse, les experts ont assuré que la contamination ne s'étendrait pas au-delà de la zone de l'incident. Seuls les ingénieurs et les techniciens travaillant pour Soleil Noir seraient tués ou gravement blessés. Estimant que des millions de vies pourraient être menacées si un État ou un groupe terroriste entrait en possession d'un arsenal nucléaire, le MI5 a décidé de lancer l'opération.

Après avoir étudié les pièces sélectionnées, les scientifiques ont dressé une liste de cent quarante-trois modifications susceptibles d'entraîner la destruction de la cascade, d'infimes altérations impossibles à détecter dans les débris de la chaîne de production.

La définition des causes de la catastrophe, la refonte des pièces défectueuses et les tests de production prendraient des années, coûteraient des millions de dollars et saperaient durablement la crédibilité du réseau Soleil Noir.

L'opération

Kurt Lydon travaille actuellement sur sa nouvelle version de la cascade. Un agent devra s'introduire à son domicile, localiser sa station de travail assistée par ordinateur et programmer les cent quarante-trois modifications. Le MI5 estime que le système de sécurité pourra facilement être neutralisé, mais le réseau Soleil Noir exerce une surveillance de la maison, à Milton Keynes, vingt-quatre heures sur vingt-quatre.

Aucun adulte ne pourra accéder à la station de travail sans éveiller les soupçons. L'opération sera menée par deux agents de CHERUB qui se lieront aux enfants Lydon – George, treize ans et/ou Sophie, quinze ans –, entreront à leur domicile et procéderont aux manœuvres de sabotage.

6. Sages comme des images

— Vous êtes prêts, les garçons ? demanda John Jones, en engageant son 4x4 Nissan dans un carrefour à sens giratoire.

Andy et Greg étaient installés sur la banquette arrière.

— Prêts, dit ce dernier avant de se tourner vers Andy. Souviens-toi de ne pas m'appeler Rat.

— Compris, Rat, gloussa son camarade.

John emprunta une rue encadrée de pavillons modernes puis ralentit afin d'observer les numéros figurant sur les portails. Parvenu au niveau du vingt-deux, il remonta une allée privée et s'immobilisa derrière une Astra silver.

Les agents épaulèrent leurs sacs à dos et suivirent leur contrôleur de mission jusqu'au porche de la maison. Une femme élancée ouvrit la porte avant qu'ils n'aient eu le temps d'actionner la sonnette, puis George, vêtu d'un T-shirt et d'un caleçon Simpsons, se précipita à leur rencontre.

— Docteur Lydon, je suppose, sourit John avec un

accent australien composé. Merci d'accueillir mes garçons. S'ils vous posent le moindre problème, n'hésitez pas à me contacter.

—Vous pouvez m'appeler Susie, répondit la mère de George en serrant la main de son interlocuteur. Je suis certaine que tout se passera très bien.

Tandis que les adultes bavardaient sur le seuil de la villa, Greg et Andy se faufilèrent à l'intérieur, ôtèrent leurs chaussures et gravirent les marches menant à l'étage.

— Et tâchez de vous tenir correctement ! lança John.

—T'inquiète, papa, répondit Greg. À demain matin.

La demeure était confortable, mais la décoration plutôt sommaire, et une légère odeur d'urine de chat flottait dans l'atmosphère. La chambre de George n'était pas très grande, mais elle disposait d'un home cinéma équipé d'enceintes surround et d'un écran LCD quatre-vingt-quatorze centimètres fixé au mur. Zhang jouait à *Forza Motosport 2*, assis en tailleur sur le lit. Il était torse nu. Ses cuisses massives étaient gainées dans un short de l'équipe de Chelsea.

—Sympa, tes bleus sur les côtes, ricana Greg.

Zhang secoua la tête.

—Dommage que tu aies attendu que Johno me tabasse et me fasse un shampooing pour te la jouer *Karaté Kid*.

—Je n'avais jamais vu personne se faire plonger la tête dans les toilettes. Je croyais qu'il s'agissait d'une légende urbaine.

Greg se tourna vers Andy.

— Les gars, je vous présente mon cousin. Il est venu d'Écosse pour passer la première semaine des vacances avec moi.

Zhang pilotait une Dodge Challenger. Il franchit une chicane en mordant sur les vibreurs. Un grondement assourdissant jaillit des haut-parleurs.

— Cool, il y a quatre manettes, constata Andy.

— Ouais, confirma fièrement George. Vous connaissez *Virtua Tennis* ? On pourrait se faire un double.

— Je ne veux pas faire équipe avec Zhang, grommela Greg. Il est nul à ce jeu.

— Ta gueule, répliqua ce dernier. Je n'y avais jamais joué, la dernière fois, et je t'ai quand même emmené au tie-break au troisième set... AAARG, je déteste ce virage !

Sur l'écran, la Challenger traversa une portion de graviers puis s'encastra dans un mur de pneus. George éclata de rire.

— Merde ! hurla Zhang avant de jeter la manette sur le lit. J'étais deuxième. Je serais passé en tête à la prochaine ligne droite.

Plantée dans l'encadrement de la porte, Mrs Lydon s'éclaircit bruyamment la gorge pour attirer l'attention des garçons.

— Eh, on ne t'a jamais appris à frapper avant d'entrer ? protesta George.

— J'ai frappé, répliqua la femme, mais le volume des enceintes est tellement fort...

George se pencha pour tourner le bouton de l'ampli.

— Amusez-vous bien, les enfants, dit-elle. Personnellement, vu que j'ai travaillé seize heures d'affilée à l'hôpital, je prends une douche et je me mets au lit. Alors ne faites pas trop de bruit, d'accord ?

— D'accord, maman. On sera sages comme des images.

Mrs Lydon sourit.

— Il y a des chips dans le placard de la cuisine, de la glace Ben & Jerry's dans le congélateur et des burritos à réchauffer au micro-ondes, ceux que tu préfères. Bon, je vous laisse…

Dès que la femme eut quitté la pièce, Greg se tourna vers George.

— Ta mère va vraiment se coucher ?

— Ouais. Et vu que mon père assiste à un séminaire à Bruxelles et que Sophie sort avec ses copines, cette maison sera à nous dès qu'elle se trouvera dans sa chambre !

— Cool, dit Zhang.

Greg et Andy échangèrent un sourire discret : moins la villa compterait d'occupants, plus ils auraient de marge de manœuvre pour mener à bien leur mission.

— Passons aux choses sérieuses, dit Greg en sortant huit canettes de bière de son sac à dos.

George les considéra avec un mélange de terreur et d'excitation.

— Si ma mère voit ça…

Zhang leva les yeux au ciel.

— Tu ne vas quand même pas te dégonfler, Georgie ? Deux bières par personne, ça ne va pas nous tuer.

— Quatre, corrigea Andy. Il y en a huit autres dans mon sac.

— Je ne te connais que depuis dix minutes, dit Zhang, mais je sens qu'on va drôlement bien s'entendre, toi et moi.

— Sans doute, mais on devra attendre que ma mère soit couchée, avertit George. Et vous devrez emporter les canettes vides, parce que si elle les trouve, elle m'étranglera.

— On va se mettre minables, on va se mettre minables ! scanda Zhang.

— Où sont les toilettes ? demanda Andy.

George fit un pas dans le couloir.

— Deuxième à droite, dit-il.

À cet instant précis, Sophie franchit la porte de sa chambre. Elle portait une robe noire ultracourte et des chaussures à talons aiguilles.

— Regardez ça, les mecs, ricana George. L'allumeuse se prépare pour partir à la chasse.

Sophie lui adressa un bras d'honneur.

— Et vous, qu'est-ce que vous avez prévu pour la soirée ? Laissez-moi deviner… X-box et DVD de *Battlestar Galactica* ! Vous faites une belle brochette de losers.

— Eh bien, je préfère ça à passer deux heures au cinéma avec la langue de Chav Daniel fourrée dans ma bouche.

Sophie jeta à son frère un regard méprisant, se dirigea vers la salle de bains et trouva la porte verrouillée.

— Andy est à l'intérieur.

— Sors de là, sale geek ! gronda-t-elle.

— Tu n'as qu'à utiliser celle du rez-de-chaussée, suggéra George.

— Impossible, minus. Maman est sous la douche.

Andy éprouvait un sentiment étrange. Il se trouvait dans une demeure inconnue, en compagnie d'étrangers qui n'hésitaient pas à s'écharper en sa présence. Il se lava les mains à la hâte et regagna le couloir.

— Excuse-moi, murmura-t-il à l'adresse de Sophie en quittant la salle de bains.

— Dégage de mon chemin, tonna la jeune fille avant de s'y enfermer.

— Je suis désolé, mon pote, soupira George en regagnant sa chambre.

— La bave du crapaud… répondit Andy en haussant les épaules.

— Attends, je connais un moyen de lui apprendre la politesse, lança son camarade avant de disparaître dans la chambre de sa sœur.

Il en sortit quelques secondes plus tard en brandissant un lapin en peluche aux oreilles affaissées qu'il plongea tête la première dans son caleçon.

— Oh, le petit pervers ! s'exclama-t-il devant ses camarades hilares.

Il frappa à la porte de la salle de bains.

— Sophie, dit-il d'une voix très douce. Sors, monsieur Lapin a de gros ennuis !

Cette dernière déboula dans le couloir comme une furie.

— Combien de fois t'ai-je demandé de ne pas... grogna-t-elle, avant de s'interrompre dans un hoquet.

Les yeux exorbités, elle considéra les pattes de l'animal en peluche qui dépassaient du sous-vêtement de son frère.

— Espèce de sale petite ordure ! Tu vas te prendre une de ces trempes !

George se mit à courir, mais Sophie parvint à enrouler un bras autour de sa taille puis le gifla à toute volée.

— Ouille... lâcha Zhang. Ça doit faire mal.

Sophie extirpa le lapin du caleçon de George et lui porta un ultime soufflet à l'arrière du crâne.

— Je t'interdis d'entrer dans ma chambre. Et ne touche plus *jamais* à mes affaires, sale nerd !

— Attends de voir quel sort je leur réserve, à tes foutues affaires, dès que tu auras quitté la maison, dit George, imperturbable, malgré les marques écarlates qui zébraient son visage. Monsieur Lapin a rendez-vous avec mon Opinel.

Sophie le plaqua contre le mur avec un genou puis se pencha pour saisir ses chevilles. Andy, Greg et Zhang surprirent un éclair de panique dans le regard de leur ami.

— Sophie, excuse-moi, gémit ce dernier. Je ne le ferai plus, c'est promis.

Il se cramponna désespérément au cadre de la porte, mais sa sœur était beaucoup plus forte. Elle tira fermement sur ses jambes pour le forcer à lâcher prise puis le traîna à vive allure jusqu'à l'extrémité du couloir tapissé de moquette synthétique.

— Nooon ! hurlait-il, désespéré. Mamaaan !

Greg, Zhang et Andy observaient la scène avec consternation. Le visage tordu par la douleur, George s'assit péniblement. En dépit de son dos brûlé, il s'efforça de garder une contenance, de crainte de passer pour une mauviette devant ses camarades.

— Je t'interdis d'entrer dans ma chambre, minable, gronda Sophie.

— Espèce de salope, répliqua George.

Une porte claqua au rez-de-chaussée. Mrs Lydon, vêtue d'une chemise de nuit assortie à ses chaussons, gravit l'escalier quatre à quatre.

— Arrêtez immédiatement ce cinéma ! hurla-t-elle. Vous commencez à me sortir par les yeux, vous deux. Vous avez treize et quinze ans, mais vous vous comportez comme des gosses de maternelle ! Sophie, regarde un peu ce que tu lui as fait !

— Oh, je vois, ricana la jeune fille. Tu prends sa défense, comme d'habitude. Il a fourré Monsieur Lapin dans son froc dégueulasse. Je veux juste qu'il arrête de toucher à mes affaires.

— Moi, ce que je voudrais, c'est que tu chopes une maladie mortelle, lâcha son petit frère en s'agrippant à la rampe pour se redresser.

Sophie lui tira la langue.

— Loser, cracha-t-elle.

— Combien de fois t'ai-je demandé de ne pas entrer dans sa chambre, George ? explosa Mrs Lydon.

— Je ne peux pas lui faire confiance, ajouta Sophie. Je

suis certaine qu'à mon retour, je trouverai des croûtes de pizza dans mon lit, ou quelque chose comme ça.

— Toi, la ferme ! hurla sa mère. Ton père n'a pas posé un verrou sur ta porte pour rien. Pourquoi ne l'as-tu pas fermée à clé ?

— Je ne la trouve plus.

— Comme d'habitude. Maintenant, quitte cette maison avant que je ne perde définitivement patience.

Lorsque Sophie eut descendu les marches, Mrs Lydon déboula dans sa chambre. En moins de trois secondes, elle exhuma la clé prétendument égarée d'un fatras de produits de beauté et de fiches de révision.

— Et voilà, lança-t-elle avant de verrouiller la porte puis de rejoindre les garçons dans la chambre de George. Amusez-vous bien. Je sais que vous êtes en vacances, mais moi, je travaille demain. Si vous me réveillez, je vous garantis que ça bardera pour votre matricule.

7. Coup de fatigue

George referma doucement la porte de la chambre de sa mère. La tête lui tournait un peu. Malgré l'heure tardive, il régnait toujours une chaleur infernale.

— Elle pionce, annonça-t-il en retrouvant ses amis.

La pièce empestait la pizza, la bière et la sueur. Le sol était jonché d'assiettes sales. Zhang avait parfait ce désastre en laissant tomber accidentellement une part entière sur le lit de George et en collant une tranche de pain à l'ail au plafond.

— Encore un petit coup ? interrogea Greg en sortant une canette de son sac à dos.

— Avec plaisir, gloussa Zhang.

Greg vérifia discrètement que le morceau d'adhésif bleu était bien en place au fond du récipient avant de le remettre à son camarade. La moitié des canettes était passée entre les mains des services techniques de CHERUB.

Seules celles destinées à George et à Zhang avaient été marquées. Elles contenaient un mélange de bière et de sédatif. Les autres étaient remplies de bière sans alcool. Selon le plan établi par John Jones, les deux garçons perdraient rapidement connaissance, tandis que Greg et Andy, libres d'agir à leur guise, conserveraient toute leur lucidité.

— Eh, regardez ça, les mecs ! glapit George en se penchant par la fenêtre ouverte.

Alors, au grand effroi des agents, il bascula dans le vide. Ils étaient censés contrôler son degré d'ivresse. Cet incident était de nature à faire avorter la mission.

Mais George atterrit dans une haie, lança une exclamation triomphale puis partit d'un rire dément.

— J'ai toujours rêvé de faire ça, dit-il avant de s'affaler sur la pelouse en se tenant les côtes.

Greg considéra la profondeur du buisson ornemental et réalisa que la cascade que venait d'accomplir son camarade depuis le premier étage ne comportait pas le moindre risque.

— Allez, sautez, bande de trouillards ! hurla George. C'est complètement génial !

Aussitôt, Greg plongea tête la première dans la haie. L'exercice n'avait rien de douloureux, mais il eut toutes les peines du monde à s'extirper des branchages. N'ayant consommé que de la bière sans alcool, il se sentit obligé de feindre l'ivresse en poussant un hurlement dément puis en titubant sur le gazon.

Zhang semblait moins confiant. Il se hissa timidement sur l'allège de la fenêtre.

— Allez, gros lard, saute ! lança George.

Lorsque Zhang s'écrasa dans le buisson, un craquement sinistre retentit. Son poids l'ayant emporté bien plus profondément que ses amis, il avait brisé net la longue tige de bois horizontale qui assurait la fermeté de la haie.

— AAAARGH ! hurla-t-il en se débattant, jambes en l'air, parmi les branchages affaissés.

Constatant qu'il n'était pas blessé, Greg, hilare, l'aida à se redresser. George considéra avec horreur l'état de la haie.

— Ma mère va me tuer, s'étrangla-t-il.

Greg ramassa quelques branches cassées et les jeta pêle-mêle dans le trou qui séparait deux portions intactes de buisson.

— Et voilà, elle est comme neuve, gloussa-t-il.

— Ce n'est pas drôle ! tempêta George en se baissant pour ramasser les feuilles éparpillées sur le gazon.

Le faisceau d'une lampe de poche balaya la clôture depuis le jardin voisin.

— Mais qu'est-ce qui se passe, ici ? demanda une vieille dame.

— Bon sang, c'est Miss Hampstead, gémit George avant de battre en retraite vers la maison et d'actionner la poignée de la porte. Merde ! C'est fermé !

— Rentre chez toi, vieille chouette ! lança Zhang.

— Ferme-la, chuchota son ami. C'est la marraine de Sophie. Elle fait pratiquement partie de la famille.

Il leva les yeux vers Andy, qui se tenait toujours à la fenêtre.

— Descends nous ouvrir, vite !

Lorsque les trois garçons purent enfin s'engouffrer dans le vestibule, George considéra l'escalier avec inquiétude, craignant d'y voir apparaître sa mère.

Tandis qu'ils gravissaient les marches à pas de loup, Zhang posa une main sur sa bouche et lâcha un énorme bâillement.

— Bon Dieu, je me sens claqué, tout à coup, dit-il avant de s'effondrer sur le lit.

— Tu m'étonnes, confirma George. Et la bière m'a fichu une de ces migraines…

— Petites natures, pas foutues de tenir l'alcool, ricana Greg en consultant sa montre.

Vingt-deux heures quinze. George et Zhang avaient absorbé leur première gorgée de sédatif quatre-vingt-dix minutes plus tôt. Tout se déroulait comme prévu.

— On n'a même pas eu le temps de jouer à *Virtua Tennis*, fit observer Andy, tandis que George se laissait tomber dans un pouf. Ça vous dit ?

Zhang avait fermé les yeux.

— Commencez sans moi. Je me repose quelques minutes.

Greg glissa le disque dans la X-box puis saisit l'une des manettes sans fil. Les deux agents entamèrent une partie. Andy remporta le premier set au tie-break, mais se garda bien de célébrer bruyamment sa victoire.

Il se pencha au-dessus du lit et pinça la joue de Zhang. Greg se leva et secoua légèrement l'épaule de George.

— Ils dorment comme des bébés. Déballe le matériel.

Andy fit glisser la fermeture Éclair d'une poche latérale de son sac à dos et en sortit une trousse en plastique. Elle ne contenait pas des feutres, mais douze seringues parfaitement identiques remplies d'un sédatif à action rapide. Le somnifère mélangé à la bière ne produisait d'effet que pendant deux heures, et il était impossible de connaître avec précision la dose que George et Zhang avaient absorbée. Seule une injection d'un mélange plus puissant pouvait garantir qu'ils ne se réveilleraient pas pendant l'opération.

La plus petite piqûre étant susceptible de laisser des marques, il convenait de la pratiquer à un endroit difficile à observer.

— C'est parti, sourit Andy.

Greg roula Zhang sur le ventre puis baissa son caleçon.

— Beurk, lâcha-t-il. On fait vraiment un drôle de boulot...

Andy appliqua un coton imbibé de lotion antiseptique sur la fesse droite du garçon, planta l'aiguille dans le pli situé au-dessus de la cuisse puis injecta une quantité de sédatif garantissant six heures de sommeil profond. Greg remonta le caleçon de Zhang et le repositionna sur le dos.

Ils allongèrent George sur la moquette et lui infligèrent un traitement identique. Après avoir installé un oreiller sous sa tête, Greg se tourna vers Andy.

— Et de deux, dit-il. Plus qu'une.

— Mais c'est là que ça se corse, répliqua Andy en sortant un cylindre vert et un masque à gaz de son sac.

Il se dirigea vers le couloir.

Le docteur Lydon dormait sans doute à poings fermés, mais elle n'avait pas reçu le premier sédatif, et il était impossible de lui planter une aiguille dans les fesses sans la réveiller en sursaut. Avant toute chose, les agents devaient la neutraliser à l'aide d'un puissant gaz soporifique.

Greg ouvrit la porte centimètre par centimètre, puis il pénétra dans la chambre obscure. Il redoutait que les gonds n'émettent un grincement et que sa cible ne se dresse brusquement dans son lit. En pareil cas, il prétendrait s'être trompé en cherchant les toilettes. Par chance, la jeune femme, éreintée par seize heures de travail ininterrompu aux urgences de l'hôpital, était plongée dans un profond sommeil.

— C'est bon, tu peux y aller, chuchota Greg en rejoignant son coéquipier dans le couloir.

Andy serra les sangles de son masque à gaz et se glissa à l'intérieur de la pièce, le cylindre pressurisé brandi à bout de bras. Il pointa la buse vers le plafond et enfonça le bouton pressoir pour relâcher un fin brouillard blanchâtre. Sa mission accomplie, il quitta la chambre et referma la porte avec un luxe de précautions.

— Attendons cinq minutes que le gaz produise son effet, dit Greg en consultant sa montre.

Son camarade rangea le masque et le cylindre dans son sac à dos, puis les deux agents patientèrent accroupis dans le couloir, sans prononcer un mot.

Enfin, Andy déboula bruyamment dans la chambre et alluma la lampe de la table de chevet. C'était une stratégie délibérée : si le gaz n'avait pas fait son œuvre, Mrs Lydon le chasserait sans ménagement, sans soupçonner une seconde avoir affaire à un professionnel des services de renseignement britanniques.

Il se jeta sur le matelas et effectua quelques sauts pour s'assurer que sa cible était hors d'état de nuire.

— Passe-moi une seringue, dit-il en écartant la couette.

Les garçons contemplèrent avec une crainte respectueuse le corps de la femme. Ils avaient tous deux suivi l'entraînement intensif de CHERUB et étaient capables d'accomplir des prodiges, mais la vision de la mère de leurs camarades nue, inerte et vulnérable leur donnait le vertige.

— Ça fait drôle, confessa Greg en tournant Mrs Lydon sur le ventre.

— C'est le moment ou jamais de prendre des photos, sourit son camarade.

— Sois sérieux, glousssa son coéquipier en appliquant un coton sur la peau de la femme.

Andy pratiqua l'injection en haut de la cuisse. Greg remit la couette en place avant de suivre son complice dans le couloir. Ce dernier composa le numéro de son contrôleur de mission sur son téléphone portable.

— Première étape accomplie, annonça-t-il. Tous les occupants de la maison sont dans le cirage. On se dirige vers l'atelier de Kurt Lydon.

8. Sabotage

Greg crocheta aisément la serrure à l'aide de son pistolet à aiguilles. Le laboratoire occupait deux chambres dont la cloison de séparation avait été abattue afin de ménager l'espace nécessaire à l'installation des trois cent mille livres de matériel investies par Kurt Lydon.

Deux puissantes stations de travail Dell étaient reliées par une forêt de câbles à une immense imprimante à jet d'encre conçue pour l'édition de plans industriels. D'épais ouvrages aux titres obscurs – *Thermodynamique moléculaire*, *Modèles mathématiques des turbulences hydrodynamiques* – étaient alignés sur des rayonnages. Deux écrans ultra haute résolution de trente pouces, dont le prix s'élevait à plus de dix mille livres l'unité, trônaient au centre de la pièce. Outre le clavier standard qui pilotait l'installation, la console disposait d'un contrôleur spaceball permettant le traitement des images en trois dimensions.

Andy, qui avait passé des heures à s'entraîner sur un système similaire, prit place dans le fauteuil surélevé de

Lydon. Il enfonça la barre d'espace et constata que la station de travail était en mode suspension d'activité. Un mot de passe apparut à l'écran.

Greg, qui avait inspecté le laboratoire lors d'une visite après les cours deux semaines plus tôt, avait installé un enregistreur de frappe miniaturisé entre le clavier et le port USB situé sur le panneau arrière de l'unité principale.

Ce dispositif avait mémorisé tous les mots et les chiffres pianotés par Lydon. Lorsque les agents le remettraient aux scientifiques du MI5, ils en tireraient une foule d'informations capitales sur les activités du suspect, mais pour l'heure, ils n'avaient besoin que du mot de passe permettant d'accéder à la station de travail.

Greg sortit un minuscule ordinateur portable de son sac, y brancha l'enregistreur de frappe puis s'assit sur la moquette en attendant que le système démarre.

— On n'a pas toute la nuit, grommela Andy.

— C'est bon, calme-toi. Ces petites bécanes sont un peu lentes à l'allumage, et je n'y peux strictement rien.

Andy détestait attendre. Lors des missions, seule l'action lui permettait de dominer son stress. Il était d'un caractère nerveux, et ces pauses lui laissaient le temps de considérer froidement la situation et d'imaginer d'innombrables impondérables susceptibles de ruiner l'opération en cours.

— C'est bon, annonça Greg. Dernière session ouverte vendredi dernier. En majuscules, A, R, puis, en minuscules, les lettres *i s t o t l e* suivies d'un dièse, d'un signe pourcentage et des chiffres cinq, trois, un et huit.

Andy composa le mot de passe et la fenêtre disparut, laissant apparaître le bureau et la barre des tâches de Windows.

— Celui-là, on ne risquait pas de le deviner, soupira-t-il.

L'immense écran était calibré pour le travail en haute définition, si bien que les dizaines d'icônes semblaient minuscules. Greg posa son ordinateur portable sur la moquette puis confia à son coéquipier un classeur et un CD-rom.

Andy introduisit le disque dans le lecteur. Une boîte de dialogue apparut. Il cliqua sur OK pour installer le logiciel conçu par les techniciens du MI5 nommé *Windows Breaker*. Il servait à figer le temps, afin que les modifications apportées aux fichiers ne soient pas signalées. En outre, il ouvrait une brèche dans le système qui permettait de contourner la plupart des protocoles de sécurité.

Le deuxième programme figurant sur le CD était un virus informatique de type cheval de Troie permettant au MI5 d'accéder au PC de Kurt Lydon, d'en exploiter les données à distance et d'enregistrer toutes ses activités. Dès qu'il fut installé, le logiciel antivirus ouvrit une fenêtre d'alerte. Sans s'affoler, Andy lança le troisième programme, un patch destiné à « aveugler » le système de protection.

— OK, les applications sont en place, sourit-il. Tu peux partir à la recherche des disques.

Andy avait prévu de passer les trois heures suivantes

à modifier la conception des centrifugeuses de Lydon afin de les rendre inopérantes. Greg était chargé de perquisitionner le laboratoire et la maison, de mettre la main sur les disques de sauvegarde et d'en remplacer les données par des fichiers subtilement remaniés.

Mais le MI5 restait confronté à deux casse-tête insolubles. D'une part, si Kurt, pour une raison ou une autre, mettait le nez dans ses sauvegardes, il réaliserait la supercherie. D'autre part, il était impossible de savoir s'il n'avait pas dissimulé de nombreuses copies sous les lattes du plancher, au domicile d'un ami ou dans un coffre-fort de la banque la plus proche.

Sur ces deux points, il n'y avait qu'à croiser les doigts, ne pas perdre Lydon de vue et procéder à son arrestation au moment opportun, avant qu'il ne soupçonne quoi que ce soit.

—Souviens-toi, dit Andy. C'est un fichier de vingt gigas. Il ne peut pas se trouver sur une clé USB ou un DVD. On cherche des disques durs.

—Je sais, grogna Greg, agacé par la remarque de son partenaire. Moi aussi, j'ai lu l'ordre de mission. Je vais commencer par inspecter le contenu des serveurs.

Andy lança le logiciel AutoCAD et double-cliqua sur le fichier contenant les plans de la centrifugeuse. Il dut patienter près de deux minutes avant que le modèle 3D, composé d'environ trois mille éléments, apparaisse à l'écran.

Dès qu'il fut convaincu d'avoir ouvert le bon document, il brancha un disque dur externe dans le port USB et réalisa une copie afin de permettre au MI5 d'évaluer l'avancée des travaux de Lydon.

Pendant ce temps, Greg remplaça le fichier figurant sur l'ordinateur de secours puis inspecta les étagères et les tiroirs à la recherche des sauvegardes.

Andy devait à présent programmer les modifications listées par les scientifiques qui avaient contribué à la préparation de la mission. Cent quarante-trois pièces devaient être sabotées, et chacune d'elles exigeait une dizaine de manipulations.

L'un des anciens collègues de Lydon avait rédigé un manuel à l'intention de l'équipe de CHERUB. Ces instructions détaillées étaient accompagnées de captures d'écran et de plans décrivant l'arborescence complexe des menus d'AutoCAD. C'était un travail délicat : une virgule placée au mauvais endroit pouvait rendre les altérations facilement observables, éveiller les soupçons de Lydon et ruiner toute l'opération.

Andy posa une main sur le spaceball, l'autre sur le large repose-mains du clavier.

— Concentration... murmura-t-il.

Il ouvrit le classeur et en lut le premier paragraphe : *altération n° 1, localiser la pièce 17.* À l'aide du contrôleur, Andy navigua avec expertise, repéra la pièce grâce à la fonction *rechercher*, actionna le zoom puis changea d'option de visualisation afin d'isoler la pièce en mode fil de fer.

Sélectionner le quatrième et le sixième cran. Modifier les propriétés du filetage de 1/16 de mm à 1/18 de mm. Faire pivoter la pièce de 0,07° selon l'axe Y.

C'était une tâche assommante. Greg, qui fouillait bruyamment dans une armoire métallique en fredonnant un air idiot, n'arrangeait rien à l'affaire.

— Tu ne peux pas la fermer ? gronda Andy.

Greg n'appréciait pas le ton de cette remarque, mais il était conscient de la difficulté du travail que son coéquipier était en train d'accomplir.

— Excuse-moi, dit-il. J'ai presque fait le tour du labo, de toute façon. Je te laisserai tranquille dans une minute.

.:.

Depuis deux heures, Andy n'avait pas quitté l'écran des yeux. Greg avala une gorgée de Pepsi puis fourra une poignée de M&M's dans sa bouche. Il avait inspecté le PC familial des Lydon et l'ordinateur de George, mais n'avait déniché qu'un disque dur contenant les plans originaux de la centrifugeuse, rangé sur le placard de la cuisine.

Pour faciliter le travail d'Andy, il lisait à haute voix les indications figurant dans le classeur. L'opération se déroulait conformément au timing prévu dans l'ordre de mission, mais elle exigeait une concentration absolue, et les agents, qui n'étaient pas habitués à demeurer éveillés aussi tard, commençaient à montrer quelques signes de fatigue.

— Altération n° 100, annonça triomphalement Greg,

tout content d'en arriver à un nombre à trois chiffres. Ouvre le sous-modèle de l'unité motrice G et modifie les caractéristiques de l'isolant de…

À cet instant, son téléphone portable vibra dans sa poche, interrompant ses explications. Il jeta un œil à l'écran et découvrit le nom de son contrôleur de mission.

— Comment ça se passe ? demanda John Jones.

— Pas trop mal. On dirait que Kurt est un peu négligent sur les sauvegardes. On devrait avoir terminé dans une heure, si tout se passe bien.

— Justement, il y a un os. La cellule opérationnelle du campus surveille les déplacements de Sophie par triangulation de son mobile. Apparemment, elle est montée à bord d'un taxi, et vous devriez la voir débarquer dans six à huit minutes.

Greg jeta un œil au cadran de sa montre.

— Il n'est qu'une heure et demie. Tu n'avais pas dit que la discothèque restait ouverte jusqu'à trois heures ?

— Si, mais rien ne les oblige à respecter ces horaires en cas de faible affluence. Ne vous découragez pas. Vous disposez de tout le matériel nécessaire, et nous avons longuement envisagé ce cas de figure. Attendez que Sophie aille se coucher, puis utilisez le gaz et la seringue, comme pour sa mère.

— Je connais le plan, s'agaça Greg avant de taper sur l'épaule de son coéquipier. Mec, il faut qu'on lève le camp. Sophie est en avance.

— Elle nous aura vraiment gonflés jusqu'au bout, celle-là, grommela Andy.

Les garçons rassemblèrent leurs affaires, rejoignirent la chambre de George et éteignirent la lumière. Ils étalèrent leurs sacs de couchage sur la moquette puis s'y glissèrent tout habillés.

Malgré l'anxiété qui les rongeait, ils s'amusèrent des ronflements de Zhang.

Dix minutes s'écoulèrent avant qu'ils n'entendent la clé de Sophie tourner dans la serrure de la porte d'entrée. Elle fit halte dans la salle de bains du rez-de-chaussée, puis gravit l'escalier d'un pas maladroit, une bouteille d'eau gazeuse dans une main, ses chaussures à talons aiguilles dans l'autre.

Andy jeta un œil dans le couloir et devina que la jeune fille avait bu plus que de raison. Elle balançait mollement la tête en sifflotant un air à la mode.

Contre toute attente, elle se planta à l'entrée de la chambre de son frère et actionna l'interrupteur du plafonnier. Greg et Andy fermèrent les yeux.

—Aaah, balbutia-t-elle, les petits cons sont endormis.

Alors, elle remarqua une canette abandonnée près du sachet de M&M's d'Andy.

—Oh, maman serait très fâchée si elle découvrait ça, gloussa-t-elle.

Elle fit un pas en avant, soupesa le récipient puis, découvrant qu'il était encore à moitié plein, bascula la tête en arrière pour en avaler une gorgée.

Andy et Greg ignoraient si la canette contenait un mélange de bière et de sédatif, mais ce détail n'avait guère d'importance. Ils devaient poursuivre l'opération de sabotage, et ne pouvaient se permettre d'attendre que leur cible s'assoupisse.

Écœurée par le liquide tiède et éventé, Sophie hoqueta de dégoût. Greg souleva discrètement une paupière et observa la jeune fille.

— Tu vas voir ce qu'il en coûte de s'en prendre à Monsieur Lapin, Georgie, gloussa-t-elle.

Le visage éclairé d'un sourire maléfique, elle vida le sachet de M&M's sur la moquette puis les écrasa consciencieusement du talon. Enfin, elle déversa le contenu de la canette sur la bouillie multicolore.

— Essaye un peu d'expliquer ça à maman, demain matin, grinça-t-elle.

Elle esquissa un pas de danse triomphal, tituba jusqu'au couloir... et tourna vainement la poignée de sa chambre.

Elle était verrouillée.

Greg et Andy mesurèrent aussitôt la gravité de la situation. Mrs Lydon avait conservé la clé. Sophie n'avait qu'un moyen de pénétrer dans sa chambre : aller trouver sa mère. Lorsqu'elle découvrirait qu'il était impossible de la réveiller, qu'elle se trouvait dans un état de coma apparent, elle céderait à la panique, se mettrait à hurler, alerterait tout le voisinage et contacterait immédiatement les services d'urgence.

9. Self-défense

Il y avait gros à perdre : l'occasion d'arrêter un scientifique corrompu et de récupérer les plans d'une centrifugeuse dont la fabrication avait exigé des millions d'investissement, une chance de décapiter le réseau Soleil Noir et l'opportunité d'empêcher une organisation terroriste ou une dictature sanguinaire de se doter du feu nucléaire.

Comme tous les agents de CHERUB, Greg et Andy avaient appris à travailler sous pression, mais cette situation-là semblait hors de contrôle. Sophie titubait vers la chambre de sa mère. Leur esprit était vide, en proie à la plus extrême panique, incapable de former le moindre plan d'action.

— Je ne sais pas quoi faire... murmura Greg à l'adresse d'Andy. Je vais essayer de gagner du temps et tu tâcheras de trouver une solution !

Il rejoignit la jeune fille dans le couloir.

— Eh, Sophie ! Comment ça va ?

Elle posa les mains sur les hanches et considéra Greg

comme s'il s'agissait d'un chewing-gum collé sous sa chaussure.

— Retourne te coucher, crétin.

— J'ai vu ce que tu as fait avec les M&M's.

Sophie haussa les épaules.

— Ma mère ne te croira jamais.

— Ça, ça reste à voir.

Puis, ne sachant quoi ajouter, il prononça les premiers mots qui lui passaient par la tête.

— J'oublierai tout si tu me roules une pelle.

Sophie leva les yeux au ciel.

— Même pas dans tes rêves, sale pervers.

— Allez, quoi, insista Greg en posant une main sur son épaule. Juste un baiser, avec la langue et tout.

À cette seule pensée, la jeune fille frissonna de la tête aux pieds avant de le repousser violemment.

— Si tu me touches encore une fois, je t'envoie mon genou où je pense.

Andy, feignant la somnolence, s'était glissé dans le couloir puis s'était traîné jusqu'à la porte de la chambre de Sophie. Il lui tournait le dos afin de dissimuler le pistolet à aiguilles avec lequel il tentait discrètement de crocheter la serrure.

Malgré ses grands airs, Sophie semblait effrayée par le comportement de Greg : il n'avait que treize ans, mais il était presque aussi grand qu'elle, étonnamment musclé pour son âge, et avait, à ce qu'on disait, massacré deux élèves de seconde. Elle recula jusqu'à la console placée près de la cage d'escalier.

Conscient du malaise qu'elle éprouvait, Greg fit un pas en arrière.

– C'est bon, je déconnais, dit-il. Je n'ai pas l'intention de te faire du mal.

Andy jeta son pistolet à aiguilles dans la chambre de George puis poussa la porte de Sophie.

– Tada ! s'exclama-t-il.

– Super, ajouta Greg. Comme ça, tu n'auras pas besoin de réveiller ta mère.

Mais l'alcool qu'avait consommé Sophie avait aiguisé sa paranoïa. Tout lui semblait inquiétant, de la tentative de chantage de Greg à son brutal changement d'attitude. Au moment où son adversaire se tournait vers son camarade, elle saisit le vase posé sur la console et lui en donna un violent coup sur le crâne. L'objet lui échappa des mains et se brisa sur la rampe de l'escalier.

Elle poussa un hurlement inarticulé puis lui porta un coup de pied à l'entrejambe.

Deux années d'entraînement intensif au combat à mains nues n'avaient pas préparé Greg à cette attaque-surprise. Il se plia en deux et lâcha un mugissement de douleur.

Sophie se rua vers Andy.

– Passe-moi la clé ! rugit-elle. Je te préviens que si vous avez touché à quoi que ce soit dans ma chambre…

– Mais il n'y a pas de clé, expliqua Andy. Je sais comment crocheter les serrures, voilà tout.

– Tu racontes n'importe quoi pour te faire mousser !

La manière expéditive dont elle avait mis Greg hors d'état de nuire lui avait redonné confiance.

— Passe-moi cette putain de clé, répéta-t-elle avant de tenter de frapper Andy.

Mais son adversaire avait vu le coup venir. Il esquiva habilement l'attaque. Le genou de Sophie s'écrasa dans le mur avec une telle violence que l'enduit se fissura sur une dizaine de centimètres. Andy balaya sa jambe valide, la précipitant sur le sol, puis recula de quelques mètres pour lui signifier qu'il ne comptait pas poursuivre le combat.

— J'essayais juste de t'aider, dit-il. Tu ferais mieux d'aller te coucher, je t'assure.

Mais Sophie ne l'entendait pas de cette oreille. Elle le saisit par la taille, bien décidée à le déséquilibrer et à poursuivre le pugilat sur la moquette. La jeune fille était beaucoup plus lourde que son adversaire, mais ses compétences en matière de karaté se limitaient à quelques leçons de self-défense. Andy parvint sans effort à lui faire lâcher prise et à immobiliser ses bras.

— Calme-toi, je t'en prie. Tu es soûle. Mets-toi au lit. Ça ira mieux demain, je te le promets.

— Je veux ma clé ! cria-t-elle. Vous n'avez pas le droit d'entrer dans ma chambre !

Greg se releva péniblement, puis, au mépris de la douleur causée par le coup reçu au bas-ventre, se précipita dans la chambre de George. Il fouilla dans les poches extérieures du sac de son coéquipier et y trouva la réserve de seringues.

Dans le couloir, Sophie crachait et se tortillait comme une furie.

— Lâche-moi, espèce de salaud !

— D'accord. Dès que tu seras calmée, répliqua Andy. Toute cette histoire part d'un malentendu. Je n'ai pas ta clé, je le jure.

Greg s'accroupit derrière son ami, hors du champ de vision de Sophie, plaça la seringue entre ses dents, saisit l'un de ses pieds nus et le posa à plat sur le sol.

— Je vous tuerai tous les deux ! vociféra la jeune fille, désormais au bord des larmes. Laissez-moi tranquille...

Aux yeux d'Andy, son état était inquiétant, mais il ne pouvait pas se permettre de la relâcher, sous peine d'essuyer une nouvelle attaque.

Greg enfonça la seringue entre les orteils de Sophie. Elle ressentit une légère douleur, mais n'en connut jamais la cause.

Le sédatif commença à faire effet au bout d'une trentaine de secondes. Les membres privés de toute énergie, elle cessa bientôt de se débattre.

— Merci, mon Dieu, soupira Andy, à bout de souffle, avant de lâcher prise.

Mais le cocktail détonnant de paranoïa, de sédatif et de cocktails bon marché provoqua chez Sophie une réaction inattendue : elle se redressa brusquement et vomit un jet de liquide vert clair sur le pantalon d'Andy.

— Oh meeerde ! gémit ce dernier.

Une odeur pestilentielle se répandit dans le couloir. Sophie retomba sans connaissance sur la moquette.

Craignant qu'elle ne s'étouffe dans son sommeil, Greg plongea deux doigts dans sa gorge, s'assura que ses voies respiratoires n'étaient pas obstruées puis la plaça sur le flanc, en position latérale de sécurité.

— Quand je pense que certains rêvent de devenir espions... gémit Andy avant de s'écarter. C'est curieux, mais personne ne vomit jamais sur James Bond.

Soudain, Greg remarqua des taches sanglantes sur la moquette du couloir et de la chambre de George. L'adrénaline l'avait jusqu'alors rendu insensible à la douleur, mais il avait marché sans s'en rendre compte sur un fragment de vase et s'était profondément entaillé le talon.

Andy inspecta le chaos environnant : du sang, des vomissures, de la bière, de la porcelaine brisée, des M&M's écrasés et même une fissure dans le mur...

— La mère de George va adorer, dit-il.

Endurcis par les souffrances éprouvées à l'entraînement, les deux agents restaient déterminés à mener à bien leur mission.

Greg adressa un sourire à Andy.

— C'est dur, mais les agents de CHERUB sont encore plus durs ! s'exclama-t-il sur le ton autoritaire propre aux instructeurs du campus.

Andy éclata de rire.

— Je vais prendre une douche et piquer un short dans l'armoire de George, dit-il. Pendant ce temps-là, tâche de trouver des pansements. Tu es en train de saloper la moquette. Ensuite, on mettra Sophie au lit.

— Ça marche. Et après ?

Andy consulta sa montre.

— Il est deux heures moins le quart. On a encore trois heures devant nous. On doit retourner au labo de Lydon et programmer les quarante-trois dernières altérations.

10. Colère noire

Les tremblements de terre sont mesurés sur l'échelle de Richter, les tornades sur celle de Fujita, l'activité des volcans au regard d'un index d'explosivité. Andy et Greg doutaient qu'il existât un moyen de quantifier la rage d'une mère de famille, mais en ce samedi matin, celle de George battait tous les records.

— Descendez au rez-de-chaussée, et en vitesse ! hurla-t-elle en secouant son fils endormi par les épaules.

Elle souffrait d'une terrible migraine, un effet secondaire du gaz soporifique qui n'arrangeait rien à l'affaire.

— Faites attention où vous mettez les pieds, il y a des morceaux de porcelaine sur le palier.

Ce n'est qu'en ouvrant la fenêtre de la chambre pour disperser l'odeur de bière et de pizza qu'elle découvrit la haie endommagée.

— Je t'interdis de ramener des copains à la maison, tu m'entends ? Plus jamais ! Ça dépasse *tout* ce que j'avais pu imaginer !

Zhang et George découvrirent avec stupéfaction la moquette souillée de sang, de vomi, de bière et de chocolat.

— C'est pas moi ! glapit misérablement George.

À l'autre extrémité du couloir, Sophie émergea de sa chambre, les cheveux dressés dans toutes les directions. Elle portait toujours ses bas et sa robe ultra-courte, mais ces effets destinés à susciter le désir lors de sa sortie en boîte de nuit étaient à présent maculés de vomissures.

— Moins de bruit, grogna-t-elle. J'ai pas fini ma nuit.

— Ta nuit ? tempêta Mrs Lydon tandis que Zhang et George dévalaient l'escalier, en proie à la confusion la plus absolue. Jeune fille, personne ne dormira une seule minute tant que les traces de ce carnage n'auront pas disparu !

Sophie leva les yeux au ciel.

— Relax, maman. J'y suis pour rien. C'est les geeks qui ont trop picolé.

— *Tu* es responsable de ceci, et tu le sais parfaitement ! dit la femme en pointant la tache verte et fétide sur la moquette. Il y en a plein ta robe. Va chercher les produits de nettoyage à la cuisine, et que ça saute !

— Ouais, bien sûr. Comme d'habitude, c'est à moi de faire le ménage sous prétexte que je suis une fille.

— Oh, ne t'inquiète pas pour ça, ma petite chérie. Ton frère va mettre la main à la pâte, tu peux me faire confiance, et vous rembourserez les dégâts tous les deux, sur votre argent de poche. Et ne comptez pas trop sur les cadeaux de Noël et d'anniversaire. Si vous ne parvenez pas à récupérer la moquette, ce sera pour votre pomme, alors je vous conseille de frotter !

Réfugié dans la cuisine, Zhang se préparait un bol de Chocopops. Au fond, il trouvait la situation très amusante.

— Tu devrais partir en Chine avec moi, George. C'est sans doute le seul endroit de la terre où tu pourrais échapper à ta folle de mère.

Son ami ne prêtait même pas attention à ses plaisanteries. Il était consterné par l'attitude de Greg.

— J'ai passé des tas de soirées avec mes potes, et jamais une chose pareille n'est arrivée ! hurla-t-il. Mais qu'est-ce que vous avez foutu, bon sang ?

Greg afficha un air innocent.

— Ta sœur est rentrée bourrée, et la porte de sa chambre était fermée à clé. Comme Andy a appris à crocheter les serrures, il lui a filé un coup de main et là, elle a complètement pété les plombs.

George avait du mal à avaler cette explication.

— Et comment tu expliques la tache sur la moquette de ma chambre ? C'est forcément vous, les mecs. Et pourquoi Andy porte-t-il l'un de mes shorts ?

— Parce que ton ivrogne de sœur a dégueulé sur mon pantalon avant de tomber dans le coma, expliqua ce dernier.

À cet instant précis, Sophie fit irruption dans la cuisine. Elle ouvrit le placard situé sous l'évier et s'empara d'une éponge, d'une serpillière et d'un flacon de shampooing pour moquette.

—Merci pour tout, George, lâcha-t-elle. Rien ne serait arrivé si tu ne nous avais pas ramené tes nouveaux copains.

—Tu étais beurrée, répliqua Greg. Tu es devenue folle et tu m'as cassé un vase sur la tête.

—Parce que tu as essayé de me choper !

—Quoi ? Mais tu es complètement mytho ! Et je te signale qu'on t'a vue écraser des M&M's et verser de la bière sur la moquette pour que George se fasse accuser.

—N'importe quoi !

Greg savait qu'il la tenait.

—Alors c'est quoi, ces taches de couleur sur ton talon ?

Sophie resta figée.

—Montre ton pied, ordonna George sur un ton glacial.

Confronté au refus obstiné de sa sœur, il se jeta sur elle. Elle le frappa sèchement à l'arrière de la tête. Il plongea les dents dans son avant-bras. Ils finirent par rouler sur le carrelage, entre la table et la machine à laver.

Alertée par leurs hurlements sauvages, Mrs Lydon déboula dans la cuisine.

—ARRÊTEZ ! cria-t-elle en séparant les belligérants. Il n'est plus temps de vous disputer. Vous nettoierez votre bordel *tous les deux*. Pas de discussion.

Sophie poussa un profond soupir puis ramassa les produits de nettoyage. George, lui, fondit en larmes.

—Je suis désolé, sanglota-t-il. S'il te plaît, ne nous punis pas. Ne gâche pas nos vacances d'été.

Le docteur Lydon ne se laissa pas attendrir.

—Tu as treize ans, mon garçon, et tu te comportes

comme une fillette. Crois-tu vraiment que cette comédie ridicule puisse me faire changer d'avis ?

Pour illustrer ses propos, elle sortit une pelle à poussière du placard et en flanqua de grands coups sur les jambes de son fils.

— File à l'étage et aide ta sœur ! rugit-elle.

C'était la troisième fois que Mrs Lydon levait la main sur l'un de ses enfants. George était estomaqué. Il gravit les marches à toute allure, comme si un missile thermoguidé était verrouillé sur son postérieur.

Mrs Lydon considéra Greg, Zhang et Andy d'un œil sombre. Assis autour de la table, les trois garçons observaient un silence absolu. Elle n'avait pas lâché la pelle à poussière, et il semblait évident qu'elle brûlait de s'en servir à nouveau. Elle regrettait amèrement que les adultes ne soient pas autorisés à châtier les enfants d'autrui.

— Appelez vos parents, grogna-t-elle. Je veux que vous quittiez ma maison aussi vite que possible, et n'espérez pas y remettre les pieds.

Sur ces mots, elle tourna les talons et s'engagea dans l'escalier.

— Vous avez intérêt à frotter dur, là-haut ! menaça-t-elle.

Zhang souleva la boîte de céréales.

— Quelqu'un veut des Chocopops ? demanda-t-il sur un ton parfaitement détaché.

Greg s'isola dans le vestibule et contacta John Jones sur son téléphone portable.

— Mon père sera en bas de la rue dans dix minutes, annonça-t-il, sa conversation achevée. On ferait mieux d'y aller tout de suite, avant que cette vieille folle ne redescende.

— Je ne sais pas vous, mais moi, j'ai passé une super soirée, dit Zhang en remplissant son bol à ras bord. En général, on s'emmerde. Je mets des tôles à George à la X-box, on raconte des conneries, et puis on pionce. Avec vous, c'était carrément… différent.

— On fera peut-être un truc chez nous, la prochaine fois, sourit Greg en frappant ses phalanges contre celles de son camarade.

— Content de t'avoir rencontré, ajouta Andy. Bonnes vacances en Chine.

Les deux agents épaulèrent leurs sacs puis quittèrent la maison. Greg boitait bas sur l'allée de graviers qui menait à la rue.

— J'ai une bosse énorme à la tête, là où cette malade m'a frappé avec le vase, dit-il.

— Ouais, tu t'en es pris plein la poire. Enfin, je suis bien content de pouvoir t'appeler Rat. Je ne te raconte même pas le nombre de fois où j'ai failli gaffer…

Rat appréciait sincèrement George et Zhang, et il se sentait un peu triste de devoir les quitter. La mission était terminée. CHERUB inventerait un scénario pour justifier son déménagement, et jamais plus il ne les reverrait. Pour le reste, il était heureux de retrouver sa petite amie Lauren après deux mois de séparation, et de fêter enfin son treizième anniversaire sur le campus.

— Ce pauvre George, dit Andy. On ne l'a pas fait exprès, mais je crois que sa vie va être un enfer dans les mois à venir.

— T'inquiète, il survivra. Nous, on a fait notre boulot, et c'est ça le plus important.

Épilogue

6 MARS 2008 – JOURNÉE INTERNATIONALE DU LIVRE

Foulant l'herbe recouverte de givre, tous les résidents de CHERUB convergeaient vers le centre du campus. Ils étaient d'humeur joyeuse, car ils avaient été dispensés de cours pour assister à l'inauguration d'un nouveau bâtiment. C'était une construction moderne, érigée selon les normes écologiques les plus strictes, dont la façade intégralement vitrée décrivait des courbes harmonieuses.

Les T-shirts rouges se trouvaient déjà sur les lieux. Ils manifestaient leur enthousiasme en courant et en bondissant comme des possédés devant l'entrée de l'édifice. Rassemblés par petits groupes, des agents plus âgés, qui souhaitaient paraître *cool* en toute occasion, manifestaient davantage de réserve.

Greg (alias Rat) et Lauren Adams marchaient main dans la main. Bethany Parker, la meilleure amie de cette dernière, les suivait de près, accompagnée d'Andy. James Adams, son copain Bruce Norris et deux autres garçons fermaient la marche.

— Comme il fait froid, je vous épargnerai un long discours, dit Zara Asker, lorsque tous les agents furent réunis devant le nouveau bâtiment. Sans plus attendre, en cette journée mondiale du livre, je déclare ouverte la nouvelle bibliothèque de CHERUB !

Des applaudissements polis saluèrent cette déclaration. Armés d'une paire de ciseaux, deux des plus jeunes résidents du campus s'approchèrent d'un ruban tendu devant la porte de l'édifice. À deux reprises, ils tentèrent vainement de le couper, provoquant un concert d'éclats de rire. Zara leur prêta main-forte en tendant fermement la bande de tissu.

Lauren et ses camarades durent patienter plusieurs minutes avant de franchir les portes de la bibliothèque prises d'assaut par plus de deux cents agents.

— Très chic, dit-elle en observant le plafond de chêne et les baies vitrées incurvées.

De longues tables occupaient le centre de la grande salle du rez-de-chaussée. Un escalier permettait d'accéder à la coursive où les ouvrages étaient alignés sur d'immenses rayonnages. Un espace était réservé aux plus jeunes. C'était un petit bateau pirate équipé de hamacs, de poufs et de coussins, d'une barre en bois vieilli et de voiles blanches frappées du logo de CHERUB.

À l'autre extrémité de la pièce se trouvait un salon meublé de fauteuils, de sofas et de tables basses. Un distributeur automatique de café et de chocolat chaud était à la disposition des lecteurs, ainsi qu'un buffet proposant des muffins, des croissants et des fruits frais. Lauren consulta le panneau affiché à l'entrée : *Il est strictement interdit de boire ou de manger dans la salle de lecture. Tout contrevenant écopera de quinze tours de piste.*

Lauren et ses amis tentèrent de se frayer un chemin jusqu'au buffet.

— Un peu trop chicos à mon goût, dit James Adams. De toute façon, les bouquins, ça n'a jamais été mon truc. Et puis, il suffit d'attendre quelques années pour voir l'adaptation au cinéma.

Sa sœur haussa les yeux au ciel.

— Le dernier livre que tu as lu, c'est *J'apprends à lire l'heure avec Mickey*.

— Et il n'a jamais pu le finir, ajouta Rat. Il ne fait toujours par la différence entre la petite et la grande aiguille.

Lauren considéra la foule massée devant le buffet. Toutes les places assises étaient occupées. Plusieurs agents s'étaient installés sur les tables basses.

— L'attrait de la nouveauté, déclara Bethany. Dans deux jours, à la même heure, je vous parie qu'on n'y trouvera pas plus de quatre personnes.

— Moi, j'aime beaucoup, déclara Andy. Je préférerais lire et faire mes devoirs ici que rester tout seul dans ma chambre. En plus, il paraît qu'ils ont reçu tout un stock de nouveaux livres.

Un craquement se fit entendre à l'autre bout de la salle, suivi d'un concert de cris aigus : l'un des mâts du bateau pirate venait de céder sous le poids d'une grappe d'enfants. Trois éducateurs du bloc junior se précipitèrent afin de s'assurer qu'aucun d'eux ne s'était blessé.

— Bien joué ! s'exclama James.

— Celui qui a conçu ce truc a clairement sous-estimé le pouvoir de destruction des T-shirts rouges, soupira Lauren.

— On ne trouvera jamais de place dans le salon, dit Andy. Si on s'asseyait dans la salle de lecture ?

— Eh, regardez ça ! s'exclama Rat en désignant un présentoir où étaient exposés les quotidiens du matin. C'est Kurt !

Il s'empara du journal, considéra la photo de Lydon figurant en première page, puis se plongea dans la lecture de l'article.

UN SCIENTIFIQUE BRITANNIQUE ARRÊTÉ DANS LE CADRE D'UNE OPÉRATION VISANT UN RÉSEAU DE TRAFIC D'ARMEMENT NUCLÉAIRE

Un ingénieur britannique figure parmi les vingt-deux suspects arrêtés à Bruxelles lors d'une rencontre au sommet entre membres d'une organisation criminelle connue sous le nom de Soleil Noir.

Kurt Lydon, 54 ans, domicilié à Milton Keynes, expert en enrichissement de l'uranium, est spécialisé dans la

conception de centrifugeuses utilisées dans la production d'armes atomiques.
L'opération, menée conjointement par les services de renseignement britanniques, français, américains et belges, serait directement liée à l'explosion d'un complexe d'enrichissement d'uranium situé au Nigéria, il y a trois semaines, une installation dont Lydon est suspecté d'être le principal concepteur.
Malgré les lourds soupçons qui pèsent sur elles, les autorités de Lagos ont réaffirmé que le réseau Soleil Noir n'était « qu'une organisation terroriste sans aucun lien avec le gouvernement démocratiquement élu de la République fédérale du Nigéria ».
Par la voix de son porte-parole, le MI5 estime que ce coup de filet est susceptible de décourager les États qui tentent d'acquérir la technologie nucléaire à des fins militaires.
Outre les vingt-deux arrestations, l'opération de surveillance internationale, qui a duré deux ans, a permis la saisie de documents volés, de matériaux nucléaires et de quatre-vingts millions d'euros sur les comptes bancaires des membres du réseau Soleil Noir.
La police britannique a investi la maison de Kurt Lydon et découvert le laboratoire ultramoderne où le scientifique menait ses activités.
En attendant la levée des scellés, son épouse, chirurgienne à l'hôpital de Milton Keynes, et ses deux enfants ont été hébergés par des proches. Contactée par notre rédaction, elle s'est refusée à tout commentaire.

CHERUB, agence de renseignement fondée en 1946

1941

Au cours de la Seconde Guerre mondiale, Charles Henderson, un agent britannique infiltré en France, informe son quartier général que la Résistance française fait appel à des enfants pour franchir les *check points* allemands et collecter des renseignements auprès des forces d'occupation.

1942

Henderson forme un détachement d'enfants chargés de mission d'infiltration. Le groupe est placé sous le commandement des services de renseignement britanniques. Les *boys* d'Henderson ont entre treize et quatorze ans. Ce sont pour la plupart des Français exilés en Angleterre. Après une courte période d'entraînement, ils sont parachutés en zone occupée. Les informations collectées au cours de cette mission contribueront à la réussite du débarquement allié, le 6 juin 1944.

1946

Le réseau Henderson est dissous à la fin de la guerre. La plupart de ses agents regagnent la France. Leur existence n'a jamais été reconnue officiellement.

Charles Henderson est convaincu de l'efficacité des agents mineurs en temps de paix. En mai 1946, il reçoit du gouvernement britannique la permission de créer CHERUB, et prend ses quartiers dans l'école d'un village abandonné. Les vingt premières recrues, tous des garçons, s'installent dans des baraques de bois bâties dans l'ancienne cour de récréation.

Charles Henderson meurt quelques mois plus tard.

1951

Au cours des cinq premières années de son existence, CHERUB doit se contenter de ressources limitées. Suite au démantèlement d'un réseau d'espions soviétiques qui s'intéressait de très près au programme nucléaire militaire britannique, le gouvernement attribue à l'organisation les fonds nécessaires au développement de ses infrastructures.

Des bâtiments en dur sont construits et les effectifs sont portés de vingt à soixante.

1954

Deux agents de CHERUB, Jason Lennox et Johan Urminski, perdent la vie au cours d'une mission d'infiltration en Allemagne de l'Est. Le gouvernement envisage de dissoudre l'agence, mais renonce finalement à se séparer des soixante-dix agents qui remplissent alors des missions d'une importance capitale aux quatre coins de la planète.

La commission d'enquête chargée de faire toute la

lumière sur la mort des deux garçons impose l'établissement de trois nouvelles règles :

1. La création d'un comité d'éthique composé de trois membres chargés d'approuver les ordres de mission.

2. L'établissement d'un âge minimum fixé à dix ans et quatre mois pour participer aux opérations de terrain. Jason Lennox n'avait que neuf ans.

3. L'institution d'un programme d'entraînement initial de cent jours.

1956

Malgré de fortes réticences des autorités, CHERUB admet cinq filles dans ses rangs à titre d'expérimentation. Au vu de leurs excellents résultats, leur nombre est fixé à vingt dès l'année suivante. Dix ans plus tard, la parité est instituée.

1957

CHERUB adopte le port des T-shirts de couleur distinguant le niveau de qualification de ses agents.

1960

En récompense de plusieurs succès éclatants, CHERUB reçoit l'autorisation de porter ses effectifs à cent trente agents. Le gouvernement fait l'acquisition des champs environnants et pose une clôture sécurisée. Le domaine s'étend alors à un tiers du campus actuel.

1967

Katherine Field est le troisième agent de CHERUB à perdre la vie sur le théâtre des opérations. Mordue par un serpent lors d'une mission en Inde, elle est rapidement secourue, mais le venin ayant été incorrectement identifié, elle se voit administrer un antidote inefficace.

1973

Au fil des ans, le campus de CHERUB est devenu un empilement chaotique de petits bâtiments. La première pierre d'un immeuble de huit étages est posée.

1977

Max Weaver, l'un des premiers agents de CHERUB, magnat de la construction d'immeubles de bureaux à Londres et à New York, meurt à l'âge de quarante et un ans, sans laisser d'héritier. Il lègue l'intégralité de sa fortune à l'organisation, en exigeant qu'elle soit employée pour le bien-être des agents.

Le fonds Max Weaver a permis de financer la construction de nombreux bâtiments, dont le stade d'athlétisme couvert et la bibliothèque. Il s'élève aujourd'hui à plus d'un milliard de livres.

1982

Thomas Webb est tué par une mine antipersonnel au cours de la guerre des Malouines. Il est le quatrième agent de CHERUB à mourir en mission. C'était l'un des neuf agents impliqués dans ce conflit.

1986

Le gouvernement donne à CHERUB la permission de porter ses effectifs à quatre cents. En réalité, ils n'atteindront jamais ce chiffre. L'agence recrute des agents intellectuellement brillants et physiquement robustes, dépourvus de tout lien familial. Les enfants remplissant les critères d'admission sont extrêmement rares.

1990

Le campus CHERUB étend sa superficie et renforce sa sécurité. Il figure désormais sur les cartes de l'Angleterre en tant que champ de tir militaire, qu'il est formellement interdit de survoler. Les routes environnantes sont détournées afin qu'une allée unique en permette l'accès. Les murs ne sont pas visibles depuis les artères les plus proches. Toute personne non accréditée découverte dans le périmètre du campus encourt la prison à vie, pour violation de secret d'État.

1996

À l'occasion de son cinquantième anniversaire, CHERUB inaugure un bassin de plongée et un stand de tir couvert.

Plus de neuf cents anciens agents venus des quatre coins du globe participent aux festivités. Parmi eux, un ancien Premier Ministre du gouvernement britannique et une star du rock ayant vendu plus de quatre-vingts millions d'albums.

À l'issue du feu d'artifice, les invités plantent leurs tentes dans le parc et passent la nuit sur le campus. Le lendemain matin, avant leur départ, ils se regroupent dans la chapelle pour célébrer la mémoire des quatre enfants qui ont perdu la vie pour CHERUB.

Table des chapitres

Toutes les **MISSIONS CHERUB** en format **POCHE**

Depuis vingt ans, un puissant trafiquant de drogue mène ses activités au nez et à la barbe de la police. Décidés à mettre un terme à ces crimes, les services secrets jouent leur dernière carte : **CHERUB**.

À la veille de son treizième anniversaire, l'agent James Adams reçoit l'ordre de pénétrer au cœur du gang. Il doit réunir des preuves afin d'envoyer le baron de la drogue derrière les barreaux.

Une opération à haut risque…

Au cœur du désert brûlant de l'Arizona, 280 jeunes criminels purgent leur peine dans un pénitencier de haute sécurité. Plongé dans cet univers impitoyable, James Adams, 13 ans, s'apprête à vivre les instants les plus périlleux de sa carrière d'agent secret **CHERUB**. Il a pour mission de se lier d'amitié avec l'un de ses codétenus et de l'aider à s'évader d'Arizona Max.

En difficulté avec la direction de **CHERUB**,
l'agent James Adams, 13 ans, est envoyé
dans un quartier défavorisé de Londres
pour enquêter sur les activités obscures
d'un petit truand local.
Mais cette mission sans envergure va
bientôt mettre au jour un complot
criminel d'une ampleur inattendue.
Une affaire explosive dont le témoin
clé, un garçon solitaire de 18 ans, a
perdu la vie un an plus tôt.

Le milliardaire Joel Regan règne en maître absolu sur la secte des Survivants. Convaincus de l'imminence d'une guerre nucléaire, ses fidèles se préparent à refonder l'humanité.
Mais derrière les prophéties fantaisistes du gourou se cache une menace bien réelle...
L'agent **CHERUB** James Adams, 14 ans, reçoit l'ordre d'infiltrer le quartier général du culte. Saura-t-il résister aux méthodes de manipulation mentale des adeptes ?

Des milliers d'animaux sont sacrifiés dans les laboratoires d'expérimentation scientifique. Pour les uns, c'est indispensable aux progrès de la médecine. Pour les autres, il s'agit d'actes de torture que rien ne peut justifier. James et sa sœur Lauren sont chargés d'identifier les membres d'un groupe terroriste prêt à tout pour faire cesser ce massacre. Une opération qui les conduira aux frontières du bien et du mal...

Lors de la chute de l'empire soviétique, Denis Obidin a fait main basse sur l'industrie aéronautique russe. Aujourd'hui confronté à des difficultés financières, il s'apprête à vendre son arsenal à des groupes terroristes. La veille de son quinzième anniversaire, l'agent **CHERUB** James Adams est envoyé en Russie pour infiltrer le clan Obidin. Il ignore encore que cette mission va le conduire au bord de l'abîme...

Les autorités britanniques cherchent un moyen de mettre un terme à l'impitoyable guerre des gangs qui ensanglante la ville de Luton. Elles confient à **CHERUB** la mission d'infiltrer les Mad Dogs, la plus redoutable de ces organisations criminelles.
De retour sur les lieux de sa deuxième mission, James Adams, 15 ans, est le seul agent capable de réussir cette opération de tous les dangers…

Pour tout connaître
des origines de l'organisation CHERUB,
lisez la série HENDERSON'S BOYS

Été 1940. L'aventure CHERUB
est sur le point de commencer...

Tome 1 **L'ÉVASION**

Été 1940.

L'armée d'Hitler fond sur Paris, mettant des millions de civils sur les routes.
Au milieu de ce chaos, l'espion britannique Charles Henderson cherche désespérément à retrouver deux jeunes Anglais traqués par les nazis. Sa seule chance d'y parvenir : accepter l'aide de Marc, 12 ans, un gamin débrouillard qui s'est enfui de son orphelinat. Les services de renseignement britanniques comprennent peu à peu que ces enfants constituent des alliés insoupçonnables.
Une découverte qui pourrait bien changer le cours de la guerre…

Tome 2 **LE JOUR DE L'AIGLE**

Derniers jours de l'été 1940.

Un groupe d'adolescents mené par l'espion anglais Charles Henderson tente vainement de fuir la France occupée. Malgré les officiers nazis lancés à leurs trousses, ils se voient confier une mission d'une importance capitale : réduire à néant les projets allemands d'invasion de la Grande-Bretagne.

L'avenir du monde libre est entre leurs mains…

Tome 3 **L'ARMÉE SECRÈTE**

Début 1941.

Fort de son succès en France occupée, Charles Henderson est de retour en Angleterre avec six orphelins prêts à se battre au service de Sa Majesté. Livrés à un instructeur intraitable, ces apprentis espions se préparent pour leur prochaine mission d'infiltration en territoire ennemi. Ils ignorent encore que leur chef, confronté au mépris de sa hiérarchie, se bat pour convaincre l'état-major britannique de ne pas dissoudre son unité…